Enzo Biagi

Giro del mondo

 Rai Eri Rizzoli

GIRO DEL MONDO

Ai compagni dei miei viaggi: fotografi dei giornali e operatori e registi della televisione. Con amicizia e gratitudine. Con loro ho condiviso una bella avventura. E spero sempre di ricominciare.

ISTRUZIONI PER L'USO

Questo non è un testo di geografia, anche perché, più dei paesaggi, dei territori e anche delle società umane, io ho sempre cercato, essendo uno specialista in niente, delle storie e dei protagonisti per raccontare magari le vicende di un popolo.

So che gli orsi hanno il pelo bruno nei Carpazi e candido al Polo Nord, che i cinesi, quando sono in lutto, non si vestono di nero ma di bianco, e che gli esquimesi, invece di baciarsi, si fregano reciprocamente il naso: non capisco che gusto ci provano, ma c'è stato anche un giorno dell'orgoglio omosessuale.

Sono andato a trovare alcuni scrittori, quelli più letti e più amati, perché mi parlassero di sé e della loro gente: ed è stato un modo per rievocare alcune vicende di questo secolo, quelle che, pomposamente, si chiamano «eventi», mentre quasi sempre si tratta di disgrazie.

Non posso essere considerato un vero viaggiatore (come Marco Polo, ad esempio; ho controllato sul posto, testo alla mano, certe sue descrizioni: perfette, e alcuni aspetti hanno resistito ai secoli).

Ho in mente più camere di alberghi che itinerari avventurosi, anche se sono stato testimone o indagatore di truci episodi: dalle fosse di Katyn all'eccidio di Marzabotto, migliaia di morti.

Mi accorgo che, dopo tanto pellegrinare, mi sembra di non essermi mai mosso dal villaggio dell'Appennino toscoemiliano dove sono nato. Se dovessi tracciare un bilancio sentimentale, direi che ho capito che tutti gli uomini piangono nello stesso modo e che il sentimento che detesto di più – sono un buon conoscitore di Auschwitz e dintorni – è il razzismo. Che sta tornando di moda.

e.b.

WILBUR SMITH
IL SUDAFRICA

Il luogo. I giorni che passai in Sudafrica, al Krüger Park, restano impressi nella mia memoria più delle miniere d'oro, degli effetti paradossali dell'*apartheid,* allora in vigore: un marciapiede per i bianchi e uno per i neri. Andai a trovare il direttore del giornale di quelli che contavano di meno, si chiamava *Drum,* tamburi, poi andai nella foresta; mai le stelle, in quelle lunghissime notti, mi sono apparse tanto vicine. E il mondo attorno a me, così semplice e incontaminato, faceva pensare al paradiso terrestre prima del peccato di Adamo.

I leoni, richiamati dall'odore della carne arrostita sulla brace, arrivavano a branchi e strisciavano contro le porte dei bungalow: sembravano grossi gatti in cerca di una carezza.

Gli impala annusavano l'aria, estatici e dolcissimi come gli animali dei cartoni animati; poi correvano tra gli arbusti, nell'erba secca della savana.

Vidi un imponente elefante che si era ubriacato con una scorpacciata di bacche rosse eccitanti: dondolava goffamente, era buffo, non minaccioso. Alcuni uccelli azzurri, verdi, bianchi si posavano sul collo delle giraffe. All'alba, le zebre, gli ippopotami, le scimmie si davano appuntamento al ruscello per l'abbeverata.

Mi venne in mente Bertolt Brecht che, durante l'esilio, forse per consolarsi, diceva che il cielo è lo stesso, uguale ovunque: mi sembra che non sia così.

Il personaggio. Dicono che ogni venti secondi c'è un lettore su questa terra che compera un suo romanzo, sia che parli dell'Africa nera, dei ghiacci polari o dell'Egitto dei Faraoni.

Lo hanno tradotto in ventisei lingue e la sua ricetta, secondo una attenta biografa, è sempre la stessa: qualche cattivo, uno o due protagonisti, che possono anche essere eroi, avventura, sesso, rancore, colpo di scena, oltre che di fucile.

Dicevano certi impreparati editori: «Uno scrittore che si chiama Smith non diventerà mai famoso» (prego i signori Rossi, o Müller, o Dupont di prendere nota).

Wilbur ha cominciato come ispettore delle tasse, ha avuto per un momento l'idea di fare il giornalista, poi si è fortunatamente ripreso. Quando l'ho incontrato, era in compagnia di una graziosa ragazza orientale, forse la segretaria, che mi sembrava molto «premurosa». L'erotismo, del resto, è un elemento essenziale della sua narrativa. La sua massima è: «Non scrivere mai per piacere al pubblico, ma per piacere a te».

Di solito, in otto mesi, finisce il compito: e molto spesso la trama ha come sfondo l'Africa «una terra bella, violenta, che sanguina». Quando non lavora viaggia, o va a caccia o a pescare. Dice: «Ho avuto tutto quello che volevo».

L'incontro. – Signor Smith, lei ha detto che l'Africa è bella, perfida e incantatrice. Bella è abbastanza facile da capire, ma perché perfida?

«L'Africa è sempre stata una terra selvaggia dove tanto gli animali quanto le persone hanno sempre avuto una vita dura. È l'ordine naturale delle cose: dove si è preda e predatore, il più forte sopravvive. La storia dell'Africa, inoltre, è stata una storia di violenza e crudeltà dell'uomo contro l'uomo; ecco perché io la definisco un grande Paese feroce e, al tempo stesso, affascinante e meraviglioso.»

– Da cosa nascono gli incanti di quella terra?

«Penso che per me sia così perché ci sono nato ed è stata la fonte di ispirazione anche per la mia vita. È un mondo misterioso; quando sono a Londra non credo nella stregoneria, ma, quando torno laggiù, riesco a rispettare quelle magie e ad abbandonarmi al soprannaturale.»

– Cosa voleva dire essere un bambino bianco in quel mondo di neri?

«Era affascinante, perché io sono nato durante il colonialismo, prima della seconda guerra mondiale, quando tutto era diverso, anche la morale. Nulla veniva considerato "scorretto": c'era sete di colonie, anche l'Italia le aveva in Africa, come la Gran Bretagna, la Francia, il Belgio; era semplicemente "uno stile di vita".

«Mi pareva avvincente il mondo dei neri: io allora vivevo nella Rhodesia del Nord e non più di duecento-trecento bianchi convivevano con diversi milioni di persone di colore, e ciò ha rappresentato per me una grande opportunità per imparare i loro costumi, il loro stile di vita e il loro modo di pensare. Questo mi è poi stato molto utile quando ho scritto i miei libri.»

– Aveva qualche amico tra quei ragazzi?

«Sì, certamente. Quando eravamo nel ranch a Mazabuca, non c'erano altri bianchi e così tutti i miei amici erano bambine e bambini neri e passavamo momenti bellissimi insieme: facevamo di tutto, andavamo a caccia, nuotavamo, pescavamo, insomma quello che fanno di solito i bambini di una società rurale. Alcuni di loro sono ora membri del governo, altri sono insegnanti, altri sono riusciti ad avere successo nella vita, altri sono diventati soldati, altri ancora contadini.»

– Un bambino che cresce in Africa fa giochi diversi?

«Penso che i bambini giochino allo stesso modo in tutto il mondo – i bambini con le bambine, i maschi tra loro –, ma noi avevamo tutta una serie di svaghi, di gare avvincenti. Grazie alla mia posizione privilegiata di colono, sono sempre stato il leader.»

– Lei divide le sue passioni tra quella terra e il mare: un po' di Kipling e un po' di Melville. Quali letture hanno suggestionato la sua adolescenza?

«Tutto ciò che ho letto è stato importante per me. Certo, avevo i miei autori preferiti, ma erano gli scrittori africani che riuscivano ad affascinarmi. Dico sempre che per fare il mio formaggio servono cinquecento mucche, ma la ricetta la faccio io.»

– Tornando al mare, com'era la vita dei marinai che cacciavano le balene?

«Dura, difficile. Moltissimi anni fa, quand'ero studente universitario, mi sono imbarcato su una nave ausiliaria: si trattava di un lavoro estivo, ma c'era da sgobbare, anche in condizioni estreme. Non pensavamo che in realtà stavamo distruggendo queste magnifiche creature e sono riuscito a guadagnare un bel gruzzolo. Allora un certo romanticismo circondava la pesca alla balena, si lanciava l'arpione, tornavamo a vivere il mito di Moby Dick; il piccolo uomo contro una creatura gigantesca.»

– Cosa rappresenta per lei l'avventura?

«Il mio pane quotidiano. Scrivo molti romanzi di avventura; mi piace, ma non devo sforzarmi per ideare una trama, mi basta amare, fare qualcosa, e spesso quello che faccio mi porta a scoprire una vicenda appassionante. Penso che tutti, nella vita, abbiano bisogno dell'imprevisto, di emozioni positive.»

– E quando lo sconfitto tra la belva e il grande cetaceo è l'uomo?

«In qualsiasi confronto con gli animali, con le grandi creature, non bisogna essere sconfitti e, se capita, è un disastro irrimediabile, come ad esempio nella caccia agli elefanti. Non perdonano e non esitano a ucciderti se rappresenti o ti considerano una minaccia. Ho un ranch di animali allo stato brado in Africa; do la caccia e abbatto gli esemplari in soprannumero, ma trascorro il resto del tempo a osservarli: sono splendidi da fotografare.»

– Per lei scrivere cosa significa? Ritrovarsi o inventare le storie che le piacerebbe leggere?

«Vivo di un mondo di fantasia. Adesso penso di conoscermi abbastanza, ho vissuto "in mia compagnia" per sessantasette anni, e se a questo punto non avessi imparato nulla su di me significherebbe che non ho prestato sufficiente attenzione. Se i miei personaggi risultano del tutto convincenti ai miei occhi, si trasformano poi per me in persone reali. Dico spesso che nello svolgimento di uno stesso libro posso avere storie d'amore con tre donne diverse e meravigliose senza per questo rendere infelice nessuno.

«Il processo creativo in se stesso è già un'attività estremamente piacevole: per me è divenuta come una droga della quale non posso fare a meno. Generalmente lavoro per un anno, poi mi concedo una pausa di sei mesi di relax e di viaggi. Trascorsa questa pausa, comincio ad attendere con ansia l'ispirazione. Affronto l'inizio di un nuovo libro con una certa trepidazione, ma quando comincia a prendere forma, quando sto inventando, il lavoro diventa allora molto piacevole.»

– Cosa è stato per l'Africa questo secolo? Quali cambiamenti ha segnato?

«La fine del colonialismo ha reso l'Africa sempre più un continente nero, sottraendolo all'influsso e al dominio dei bianchi. Sfortunatamente, però, ha anche provocato il riemergere del tribalismo e delle guerre civili.»

– Cosa ha rappresentato Nelson Mandela?

«Mandela significa molte cose per molte persone, dipende da che parte stai. Per un giovane colono bianco, venti o trent'anni fa, era l'anticristo, il barbaro nero che avrebbe distrutto il nostro modo di vivere. E questo era il punto di vista di una minoranza bianca privilegiata. Per la popolazione nera era invece un angelo, una figura sullo stesso piano di Dio e rappresentava la libertà e il cambiamento sperati. Oggi prevale una via di mezzo: non è ritenuto un dio e rimane un po' anticristo, un uomo garbato dal grande carisma, che ha fatto molto per la sua gente, ma anche per la popolazione bianca, perché si è battuto per una transizione pacifica a un sistema di governo che lascia spazio anche ai bianchi, nella misura in cui rispettano le nuove regole.»

– Che cosa sono stati o cosa sono per il Sudafrica l'oro e i diamanti?

«Oro e diamanti sono stati certamente la causa prima per la quale i colonialisti bianchi sono venuti in Africa. Prima di allora era, come dicevamo, una terra molto aspra, crudele, che aveva davvero poco da offrire, ma non appena sono state trovate quelle ricchezze, tutte le grandi potenze hanno subito manifestato un grandissimo interesse, e questo ha quasi immediatamente portato alla guerra anglo-boera con tutto ciò che ne è conseguito e ai conflitti tra diverse fasce della società.»

– Cosa manca ancora in Africa?

«Molte cose: la stabilità, una forza lavoro specializzata, una responsabilità politica e sociale ispirata a princìpi etici, l'istruzione che non arriva a tutti. La situazione sanitaria è a livelli critici per quanto riguarda, ad esempio, l'epidemia di Aids e la minaccia di un ritorno della malaria e della tubercolosi. Tutto questo richiede denaro, ma questo denaro deve essere reinvestito da chi è diventato ricco seguendo l'etica del lavoro, da chi vuole rendere la vita migliore, più sopportabile.»

– Che colpe hanno i bianchi in Africa?

«Nessuna. Hanno fatto del gran bene. I neri non avevano praticamente medicine, nessuna istruzione né tradizione scritta, l'unica sapienza proveniva dalla stregoneria, vigeva l'infanticidio: si viveva insomma nella barbarie. Dalla Gran Bretagna, dall'Italia, dalla Germania, dalla Francia furono inviati amministratori e funzionari che stabilirono l'ordine e la giustizia, costruirono linee ferroviarie, ospedali, scuole. Molti meriti devono essere riconosciuti all'amministrazione coloniale di quell'epoca, e quando per le potenze coloniali venne il momento di andarsene, generalmente lo fecero di buon grado.»

– Hanno solo meriti?

«Lo ripeto: hanno fatto molto per questo continente. Insomma, l'Africa che si vede oggi, con porti, ferrovie, università, infrastrutture ad alta tecnologia, deve tutto questo quasi esclusivamente agli europei.»

– Ho un ricordo lontano di Johannesburg: su un marciapiede camminavano i bianchi, sull'altro la gente di colore. E anche una rivista dei neri, *Drum*. Chissà se esiste ancora?

«Non ricordo marciapiedi separati, ricordo toilette separate con scritto "neri" su una porta e "bianchi" sull'altra. È stato un periodo di follia, come lo fu la Germania nazista. Le sue basi ideologiche erano state stabilite da un individuo che non era nato in Africa, ma in Olanda, Hendrik Forward. Fu un periodo di cui nessuno dovrebbe essere fiero e che non durò a lungo, grazie al cielo, perché ci fu una fortissima opposizione, soprattutto da parte dei sudafricani di origine britannica. Oggi è passato alla storia semplicemente come uno dei tanti esperimenti sociologici falliti. *Drum Magazine*, invece, era una buona rivista, ma non l'ho mai letta perché era scritta soprattutto in più lingue africane.»

– Una volta andai al Krüger Park. Mi pareva che fosse l'ultima parte del mondo innocente: le stelle, l'abbeverata degli animali, delle strane bacche rosse che, mi dissero, ubriacavano gli elefanti. Un'impressione o una realtà?

«Qualsiasi parco naturale è, per così dire, un contenitore dove tentiamo di "fermare" il tempo e ciò che vi sta dentro, e quindi anche tutti gli animali che ha visto. Anch'io, come le ho già detto, ho il mio "parco naturale" e mi dà un'immensa soddisfazione. Però, quando si ha a che fare con gli animali sorgono alcuni problemi. Prendiamo gli elefanti, ad esempio: prima che i bianchi arrivassero in Africa, avevano a loro disposizione migliaia e migliaia di ettari; spesso passavano due o tre anni prima che tornassero nella stessa foresta. Ora, se vengono confinati in un'area più ristretta, cambiate a forza le loro abitudini e modificato – in peggio – il loro habitat, diventa tutto terribilmente complicato. Non siamo noi che dobbiamo gestire la natura, ma Dio.»

– Ottanta milioni di copie dei suoi libri, ma probabilmente la cifra è già stata superata: deve essere una sensazione piacevole.

«Sì, è una bella sensazione. Se passi la vita a fare qualcosa meglio che puoi e se altre persone lo apprezzano, è qualcosa che ti riempie di gioia, ti rende felice. Questa è la ricompensa per aver speso molto tempo a imparare la propria arte e a esercitarla.»

– Se non sono indiscreto, cosa sta preparando?

«Ho sempre lavorato a due o tre libri contemporaneamente; sono come un cuoco in cucina che ha tre pentole sul fuoco e che prepara gli spaghetti, un arrosto e qualcosa d'altro. Insomma tengo d'occhio ciò che bolle nella pignatta. Adesso sto scrivendo, ma non le dico di che cosa si tratta perché potrebbe cambiare durante il percorso. Sono sei settimane che sto lavorando e manca ancora molto. In questa fase, è come un feto; quando sarà nato le potrò dire qualcosa di più preciso.»

– Da dove nascono i suoi racconti?

«Sono certo che anche voi in Italia conoscete la storia della gallina dalle uova d'oro. Come riesce a farle è un mistero, ma nessuno ucciderà la gallina per scoprirlo! Credo che ognuno di noi possieda del talento: la cosa importante è scoprire il proprio e realizzarlo al meglio. Io penso di avere la dote di saper raccontare le cose. Anche quando ero molto piccolo, avevo una vera passione per i libri e per le storie. Mi piace la lingua, mi piace mettere assieme le parole, mi piace il loro suono e ho inoltre la capacità di poter accendere, in qualche parte della mia testa, una specie di videocamera e di vedere lo svolgersi dei fatti, il succedersi degli eventi e i personaggi crescere, morire e fare ciò che devono compiere. Ecco da dove vengono le trame; è un procedimento complesso, su cui non voglio pensare troppo. Quando, all'inizio della giornata, mi siedo alla scrivania la videocamera comincia a funzionare e questo mi basta.»

– Il successo che cosa le ha dato e che cosa le ha tolto?

«Mi sta dando tanto, ma soprattutto la libertà. La libertà di fare quello che voglio, vivere la vita che desidero vivere, la libertà di dedicarmi a un lavoro che mi piace, di conseguire il risultato che desidero e il tempo libero per seguire le altre cose della vita che sono per me importanti. Mi sta dando l'ammirazione dei lettori, molto denaro, la possibilità, quando lo voglio, di isolarmi, pensare, godere della mia stessa compagnia. Non penso mi stia togliendo nulla, o perlomeno niente che abbia valore. Ho percorso una via a senso unico, ma per me è sempre stata quella giusta.»

– Oggi per cosa deve battersi, la gente d'Africa, oltre che per le malattie che la minacciano, come l'Aids?

«Devono combattere un sentimento di euforia. Pensano: "Adesso ce l'abbiamo fatta, non ci rimane più nulla da inseguire. Abbiamo la nostra libertà, tutto è OK, possiamo semplicemente prendere quello che vogliamo, non dobbiamo compiere alcuno sforzo per ottenerlo, non abbiamo problemi d'ordine morale se vogliamo confiscare le proprietà altrui, attuare la repressione e compiere ufficialmente atti ingiusti contro gli altri".

«Penso che ciò che devono sforzarsi di evitare sia soprattutto questo: non cadere nella trappola che fa loro credere di essere al di sopra di tutte le regole – sociali e morali – di comportamento.»

– Qual è l'immagine più crudele che si è fissata nella sua memoria?

«La scena più atroce che ricordo risale a quando ero con le forze di sicurezza in Rhodesia. Eravamo usciti per compiere una ricognizione in un'area che era stata attaccata dai terroristi: avevano preso i bambini per le gambe, li avevano spaccati a metà e poi li avevano gettati nelle toilette... e noi dovevamo recuperare i cadaveri.»

– C'è una bellissima poesia di Senghor sulla bellezza delle ragazze nere. In cosa consiste il loro fascino?

«La bellezza è negli occhi di chi guarda! Penso che ovunque ci siano persone stupende. Ognuno di noi trova che qualcosa è meraviglioso, desiderabile, unico, come il piacere, l'attrazione che proviamo nei confronti degli altri. Non credo che le ragazze nere siano più attraenti di quelle bianche o delle orientali e non penso che nessuna di loro abbia qualcosa in meno delle altre.»

– Lei ha studiato le tribù africane. Quali sono i costumi che l'hanno maggiormente sorpreso?

«Ritengo che la struttura sociale sia molto più semplice della nostra. Penso che vivano molto più insieme all'interno della stessa tribù o della stessa famiglia, che siano molto più generosi di noi e meno avidi. In generale, un africano non accumula ricchezza fine a se stessa, come facciamo noi, e quando è ricco, non esita a condividere i suoi beni con la famiglia e gli amici molto generosamente. I miei amici neri dicono che la differenza è che noi siamo la gente del ghiaccio e loro sono la gente del sole. Noi siamo persone più fredde, più avide, mentre loro sono più legati al cuore, prodighi, forse più alla mano; non trovano alcun piacere nel lavoro in sé, come capita a noi. Se non devono lavorare non lo fanno, si divertono.»

– Le manifestazioni dell'amore sono uguali per tutti gli uomini, indipendentemente dalla pelle?

«L'atto fisico dell'amore certamente. Le racconto una barzelletta in proposito: "Un nero dice a un altro: 'Fare l'amore è lavoro o un piacere?' e l'interrogato risponde: 'Deve essere un piacere, perché se fosse un lavoro i bianchi ce lo farebbero fare al posto loro'."».

– Nei suoi libri i protagonisti sono sempre bianchi e l'amico è sempre uno di colore. Come mai?

«È molto semplice: io sono un bianco che vive in Africa e ho sempre avuto amici neri, ma trovo più semplice scrivere delle aspirazioni e del carattere dei bianchi piuttosto che dei neri, proprio come un nero troverebbe più semplice parlare di personaggi neri di quanto non lo sia per me. Inoltre tutto il mio lavoro è stato una celebrazione dell'esperienza dei bianchi in Africa. Gliel'ho detto: sono un figlio del colonialismo.»

– Lei in Africa è circondato dagli animali. Che cosa l'ha colpito della loro vita? Noi consideriamo il leone feroce. È così o c'è un animale che lo è ancora di più?

«Sono sempre stato affascinato dall'aspetto selvaggio della vita africana; per me, i due più validi motivi per vivere in Africa sono la gente e la natura primitiva. Abbiamo "le grandi 5", come vengono chiamate le cinque specie di animali più pericolosi e il dibattito su quale sia la più feroce, la più pericolosa esiste da quando l'uomo ha cominciato a cacciare da queste parti.

«Secondo me, il più feroce è quello che ti uccide in un preciso momento: essere assalito da un leone è di gran lunga più terribile dell'essere investito da un bufalo o da un elefante. Siamo noi quelli "nudi", non abbiamo artigli, non corriamo molto velocemente e i nostri muscoli non sono forti come i loro.»

– E tra noi e le scimmie ha avvertito legami stretti?

«Sì, c'è una notevole somiglianza tra le scimmie e molte persone che non mi piacciono. Credo che siamo proprio parenti stretti. Scherzi a parte, sembra che abbiano sentimenti simili ai nostri: voglia di potere, ad esempio; in ogni gruppo, infatti, c'è un individuo dominante. Penso che siano di fatto uomini in uno stadio di sviluppo primitivo.»

JOHN LE CARRÉ
SPIE OVUNQUE

Il luogo. Quando leggo il nome, John Le Carré, penso a un omone molto cordiale che ho incontrato in Cornovaglia, a una persona molto intelligente, poi a un luogo: il Check Point Charlie, il corridoio di passaggio tra le due Berlino, dove avveniva anche lo scambio dei prigionieri.

Quattro potenze giocavano, attorno alla Porta di Brandeburgo, una partita che aveva per posta la pace in Europa; i rapimenti e i colpi di pistola appartenevano alla aneddotica spicciola. Ogni tanto, l'eco delle schermaglie arrivava alla cronaca, ma solo quando il protagonista aveva un nome, o il clamore del fatto sconvolgeva l'apparente tranquillità.

Un giorno, due ufficiali dell'Armata Rossa varcano un ponte sulla Sprea in compagnia di un giovanotto che si chiama Powers; lo mollano e ricevono in cambio un maturo signore che si chiama Abel: uno faceva il pilota di un ricognitore supersonico d'alta quota americano, l'U2, ed era finito in territorio sovietico; l'altro era un illustre spione che da anni trafficava per Mosca e che, a causa di un «incidente tecnico», si era fatto prendere con le mani sporche. Consumò i suoi giorni nella tranquillità di una dacia, scrivendo la sue memorie e godendosi la lauta pensione di chi ha ben meritato. Venne segnalato, come esempio, nei libri di lettura alla gioventù comunista.

Tra le due Germanie si svolgeva un continuo e silenzioso mercato di uomini. Berlino Est dava alla Bundesrepublik prigionieri e riceveva in cambio caffè, burro, agrumi e concimi chimici.

C'erano, allora, anche due Germanie: una quella dell'Est, che si era battezzata «Democratica», l'altra, quella dell'Ovest, «Federale».

Ogni mattina, sui sedili di legno della ferrovia sopraelevata, sonnecchiavano giovani donne che si guadagnavano la vita facendo le cameriere o intrattenendo i clienti nei caffè e nei night club della zona occidentale.

Da una parte comandava l'Armata Rossa, dall'altra gli Alleati. C'era un detto tra le donne che intrattenevano i soldati occupanti e che avevano un doloroso ricordo delle incursioni e dei bombardamenti delle «fortezze volanti»: «Meglio un russo sulla pancia che un americano sulla testa».

Diceva François Mauriac: «Amo talmente la Germania che sono incantato dall'idea che ce ne siano due». Il 13 agosto 1961 venne costruito il «Muro di Berlino», un confine fatto di mattoni e di reticolati.

Feci anch'io il mio viaggio nella Germania «progressista». Mostrai il mio passaporto al milite vestito di panno verde della «Vopo», la Volkspolizei, la polizia popolare; in dieci minuti di taxi si passava dalla visione del gaio Café Kranzler alle deprimenti mura grigie dell'ambasciata sovietica.

C'erano due fabbriche di pellicole Agfa, una di qua e una di là, due birrerie Kindl, due compagnie aeree con lo stesso nome, le tigri cercavano di azzannarsi sotto i tendoni di due circhi Busch. Due signori Meier vivevano sotto lo stesso cielo, la stessa ferrovia, sotterranea o sopraelevata, li univa, salutavano, più o meno, l'identica bandiera (quella della Demokratische Republik aveva al centro un martello e un compasso, piccolezze), ma il marco dell'Herr Meier marx-leninista valeva molto meno.

Anche i luoghi si adeguarono alle esigenze della propaganda: la celebre Frankfurter Allee onorò Stalin e Karl Marx, la Wilhelmstrasse, che vide i fasti di Goebbels e del Führer, venne dedicata a Otto Grotewohl.

Il Check Point Charlie era il punto di transito per gli stranieri. Da tutte e due le parti, a seguire la cronaca, dominava l'alienazione e dilagava il già morboso amore dei tedeschi per gli animali e anche per la statistica: un uccello ogni cinque abitanti.

Nel cimitero riservato a cani e gatti, una sepoltura decorosa costava parecchie migliaia di lire, più la lapide sulla quale «Mutti» e «Vati», mammina e paparino, dichiaravano il loro imperituro rimpianto per l'indimenticabile estinto.

In nessuna città d'Europa il suicidio mieteva tante vittime come a Berlino. La morte per stanchezza non faceva più notizia. Molti erano adolescenti, meno di sedici anni. La rivoltella come rimedio alle pene amorose o all'incomprensione degli adulti.

Passai una sera al Gold Fisch (il «Pesce d'Oro»), dove si davano convegno, alla ricerca di amicizie, rosei giovanotti dai modi troppo gentili. Ostentavano, senza ritegno, la loro propensione.

Chiamavano il desiderio di dissoluzione «la febbre di Werther». L'antico male, nato da un estenuante romanticismo, da infelici passioni, da impossibili sogni, si avverte spesso nella storia della Germania, e senza le letterarie giustificazioni di Goethe. Pare che nei momenti di crisi l'uomo tedesco cerchi nella morte la sua pace o la sua riabilitazione.

Ritrovo i miei appunti di una ormai lontana domenica berlinese. Una mattinata tetra. Passava davanti alla finestra del mio albergo il treno rosso-giallo della S. Bahn. I cammelli dello zoo rabbrividivano nella neve. Sulla Kurfürstendamm un uomo mascherato da orso posava per un fotografo ambulante. Alla birreria della Meineckestrasse vecchietti in costume tirolese suonavano le marce del Kaiser e i motivi dei tempi felici: «Oh Susanna, oh Susanna, la vita è bella». La camionetta della Military Police correva lungo il Muro.

Pensai a John Le Carré e al suo romanzo *La spia che venne dal freddo*. Le Carré aveva avuto l'idea giusta: niente di meglio della Germania per una storia di intrighi; c'era il clima, c'era il contrasto, anche le situazioni più ardite. Si poteva aggiungere alla ricetta consueta (tensione, sesso, violenza) anche la lotta tra le ideologie.

A Berlino la morte non sorprendeva: nessuno si voltava quando urlava la sirena dei gendarmi e ogni tanto gli spari e l'abbaiare dei cani rompevano, lungo il confine, il pesante silenzio della notte. Capisco perché quella vicenda avventurosa era piaciuta molto a Willy Brandt: forse aveva sentito muoversi tra le pagine di John Le Carré l'aria di Berlino.

Forse gli ricordava la vicenda di un omonimo, un giornalista, Heinz Brandt: purtroppo, niente romanzo. Brandt capitava spesso al Daddy Bar, si sedeva, via un boccale sotto l'altro, i bicchierini degli *Schnaps* si ammucchiavano, c'era una luce soffusa, il juke-box non stava zitto un momento, qualche coppia ballava; poi arrivava Eva Walter, una ragazza dai grandi occhi, un tipo malinconico, la incontrava spesso, era proprio gentile con il nostro Heinz, ne accettava la compagnia, ne gradiva le attenzioni.

Heinz Brandt era un uomo solo, stanco, aveva conosciuto i campi di concentramento nazisti, cercava di cancellare i troppi ricordi.

Dunque, il buon collega una sera passò al Daddy, fece la solita ordinazione, birra e grappa scaldano il cuore, offrì dei fiori a Eva, ballarono, lei era molto graziosa, vestito nero un po' scollato e a Brandt parve anzi un po' emozionata, ma l'amore, si capisce, non si nasconde; bevvero tutti e due, erano allegri, poi, all'improvviso, lui si sentì prendere da una profonda, invincibile stanchezza e, quando si svegliò, era disteso su una brandina, in una stanza che non conosceva, c'erano inferriate e la porta era chiusa.

Pare avesse scritto, o fatto, cose che al governo della RDT non erano piaciute e la piccola Eva, ricattata per chissà quali trascorsi, aveva collaborato a farlo precipitare nel grande sonno e a spedirlo di là.

Il «grande sonno» era un espediente quasi consueto: piombò anche su un illustre signore, Otto John, uno strano doppiogiochista implicato in faccende di spionaggio – non si è mai capito con chi stava –, ma bastò una tazzina di caffè a renderlo perfettamente trasportabile.

Se la guerra è, come ha detto Clausewitz, un modo di fare politica, anche lo spionaggio è uno strumento per governare, un mezzo per realizzare i programmi di una nazione. L'informazione è una delle armi più potenti e più insidiose: se Stalin avesse dato retta a Richard Sorge, il compagno che da Tokyo lo avvertiva che le divisioni corazzate della Wehrmacht stavano per dilagare nella pianura russa, avrebbe prevenuto le intenzioni del Führer; se Hitler avesse concesso fiducia a «Cicero», il cameriere Elyesa Bazna, che approfittando del sopore pesante dell'ambasciatore inglese riuscì a carpirgli il piano dello sbarco alleato in Normandia, avrebbe affrontato in ben altre condizioni l'invasione sulla costa dell'Atlantico.

Con la fine del secondo conflitto mondiale si è capito che era cominciata l'epoca degli specialisti: matematici, esperti militari e scientifici, economisti, crittografi dominano nei servizi segreti. Occorre gente preparata.

È così che nell'Intelligence Service furono arruolati, ad esempio, il romanziere Graham Greene, lo storico Hugh Trevor-Roper e David Cornwell, che con il *nom de plume* di John Le Carré, avrebbe scritto indimenticabili best seller dedicati al mondo dei servizi segreti; una volta tanto qualcuno che parlava di faccende che conosceva.

Scompare sempre di più la figura romanzesca imposta dalla letteratura del brivido, dal cinema, dalla leggenda, la Mata Hari che fa strage di cuori e di segreti, o l'eroe alla James Bond che non ha paura di niente, è fortissimo, distrugge gli avversari e le donne, scopre senza soste intrighi e ragazze, e si impone l'incolore professionista con laurea.

Lo scrittore John Le Carré ha inventato un gergo che usano i protagonisti dei servizi segreti, e pare che alcuni dei termini da lui coniati siano entrati nel linguaggio delle spie inglesi e sovietiche.

Ecco qualche vocabolo del colorito campionario: *Angelo*, l'avversario; *Baby Sitter*, la guardia del corpo; *Circo*, il quartier generale del servizio britannico a Londra; *Talpa*, uno che fa il doppiogioco; *Calzolaio*, falsificatore di documenti; *Artista del marciapiede*, esperto in pedinamenti.

Il personaggio. Il vero nome di John Le Carré, come abbiamo visto, è David Cornwell. Infanzia infelice: la madre lo abbandona quando è ancora bambino; il padre, affarista con spiccata propensione alla menzogna, si butta anche in operazioni finanziarie scorrette, fa soldi e li perde alle corse dei cavalli. In Svizzera finisce anche in galera, e per traffici di valuta ha guai giudiziari perfino in Indonesia.

David è un giovanotto di diciannove anni quando, arruolato nell'Intelligence Service, viene spedito in Austria. Ma non trascura gli studi ed esce da Oxford con una laurea. Si arruola nel MI5, controspionaggio, poi passa al MI6: spionaggio internazionale. Lo mandano in Germania, sempre in veste di diplomatico, e vive le crisi di Berlino spaccata da un Muro.

Da un primo matrimonio ha avuto tre figli; la seconda moglie si chiama Jane Eustace.

Il suo personaggio più famoso è George Smiley: un anziano funzionario, miope e grassoccio, appassionato, nientemeno, della poesia barocca tedesca, coniugato con una donna «virtuosa dell'adulterio». Dai suoi romanzi sono stati ricavati film: quattro, fino a oggi. Ha guadagnato molti soldi, con i quali ha pagato anche per certe spregiudicate iniziative del padre Ronnie, instancabile imbroglione. Alle 6 di mattina è già alla macchina per scrivere; stacca quando lo chiamano per il pranzo. Finito un libro, via con un altro: si ricomincia.

L'incontro. – Signor Le Carré, si entra nello spionaggio per caso o per vocazione?

«Non so come funzioni oggi l'arruolamento, ma i servizi dovrebbero essere più aperti e accessibili. Ai miei tempi eri individuato e segnalato da qualche gruppo di persone in contatto con l'Intelligence o che ne facevano parte.

«Sono sicuro che avrei fatto questa scelta anche per le circostanze in cui mi trovavo a vivere. Noi combattiamo le guerre che ci sono lasciate in eredità. Io appartengo a una generazione cresciuta con una convinzione ben precisa: posso muovermi all'interno dell'Impero, posso andare in Kenya, posso andare in Sudafrica, posso andare ovunque desideri.

«Sono nato in questa atmosfera politica, che era anche rafforzata dall'insegnamento che mi è stato impartito. Quando la nazione ci chiamava, noi rispondevamo all'appello della bandiera. Durante la seconda guerra mondiale non ho combattuto. Ero troppo giovane, ma ho ereditato questa tradizione di eroica dedizione alla patria e, quando è sopraggiunta la "Guerra Fredda", ho ritenuto che fosse mio dovere rispondere all'appello.»

– Che ricordi ha della sua infanzia?

«Sono all'insegna dell'anarchia. Mio padre – è inutile nasconderlo – era un vero e proprio imbroglione, un truffatore, un farabutto. È finito in prigione più di una volta. Invece mia madre è scomparsa quando avevo cinque anni, quindi non ne conservo un'immagine particolare.

«La nostra adolescenza, quella dei miei fratelli e la mia, fu caratterizzata da continui traslochi, mutamenti, dalle continue sparizioni di mio padre, dall'improvvisa comparsa di donne che entravano nella sua vita per non restarci troppo a lungo e dall'essere affidati, soprattutto durante la guerra, a chiunque ci avesse voluto. Quindi non penso di avere qualcosa di particolarmente felice da rievocare, ma, dal punto di vista di uno scrittore, ho ricordi estremamente ricchi.»

– Come è entrato nell'Intelligence Service?

«È stata l'Intelligence a contattarmi. Ero molto giovane, avevo sedici anni e mezzo, quasi diciassette. Mi trovavo all'estero e ho fatto qualche piccolo lavoretto come postino e cose del genere e mi sembrava assolutamente normale gravitare attorno al centro segreto della società inglese; certamente era un punto di vista fantastico. Allora ero convinto che da qualche parte, proprio al centro della stanza più nascosta e segreta, c'era una cassaforte e, se riuscivi ad aprirla, avresti scoperto "tutta" la verità sul tuo Paese.»

– Ha conosciuto Kim Philby?

«Non ho mai conosciuto Philby, l'ho sempre detestato per tutto quello che rappresentava. È stato smascherato come traditore più o meno nel periodo in cui io stavo raggiungendo il vertice, di qualsiasi vertice si tratti, nel mondo dei servizi segreti. Penso di aver capito Philby molto bene. Aveva avuto, come me, un padre terribile, una presenza estremamente incostante, dispotica, lo adorava, era una persona asfissiante. Quando Philby aveva tredici o quattordici anni, suo padre, che fra le altre cose era un arabista: – pensi, vendeva Rolls-Royce in Medio Oriente – lo affidò ai beduini perché lo facessero diventare un uomo, qualunque cosa ciò voglia significare.

«Penso che abbia ereditato dal genitore la sua natura contraddittoria; viveva in uno stato di tale dipendenza che fu per lui naturale intraprendere la via della segretezza. L'inganno e la doppiezza erano gli unici mezzi che aveva a disposizione per esprimere se stesso, l'unico modo per vendicarsi.

«Ora sappiamo anche che aveva tenuto nascosta la sua omosessualità, una realtà diffusa a quel tempo. In un certo senso, penso di essermi trovato ad affrontare la sua stessa scelta. Quando siamo giunti al bivio, probabilmente alle soglie dell'età adulta, abbiamo scelto percorsi differenti: io mi sono avvicinato al mio Paese e Philby è diventato un traditore privo di scrupoli di fronte a qualsiasi cosa. Credo che concedere dignità alle sue ragioni, considerandole come sincere convinzioni politiche, sia fraintendere completamente chi era Philby.

«È stato proprio questo il motivo del mio acceso scontro pubblico con Graham Greene, che ne ha fatto il suo campione. Non l'ho conosciuto personalmente, ma ho riflettuto su di lui a lungo.

«Naturalmente, quando ho cominciato a scrivere *Tinker, Tailor, Soldier, Spy*, ho scelto il personaggio di Philby come metafora per il mio antagonista e ho anche cercato di descrivere questa situazione: quando vieni educato con la convinzione che farai parte di coloro che muovono le pedine sullo scacchiere del mondo, può succedere che tu nutra questa certezza senza, però, avere gli strumenti per realizzarla.

«L'Impero britannico non esisteva più. E penso che questa sia una delle ragioni per cui, ai tempi della Guerra Fredda, le nostre spie venivano reclutate fra le classi agiate.

«Per esempio, Philby avrebbe dovuto essere prima di tutto il fiore all'occhiello della Gran Bretagna negli Stati Uniti, all'ambasciata di Washington. Doveva insegnare alle giovani reclute della CIA l'arte di condurre una doppia vita. Ai miei occhi, Philby è l'esempio perfetto di una poltiglia d'uomo.»

– Quali caratteristiche bisognava avere per entrare nei servizi?

«Ai miei tempi si sceglievano giovani altolocati che facevano parte dell'*establishment* e provenivano da Oxford e da Cambridge. Poi c'erano i ranghi inferiori e divennero di moda i tecnici reclutati fra gli artigiani.

«Il primo grande traditore di questo secolo fu Peter Right: mise letteralmente in piazza i servizi segreti spinto da un furioso rancore per questa struttura basata sulle caste. Non c'era alcuna mobilità sociale all'interno dei servizi, mentre ciò avveniva per altre istituzioni.»

– Come ricorda l'Austria del dopoguerra? Come era la vita ai confini della Cortina di Ferro?

«È stata la mia prima esperienza sul campo. Allora l'Austria era divisa e noi controllavamo un quarto di Vienna, era il triste periodo del *Terzo uomo* di Graham Greene.

«Uno degli incarichi di cui mi occupavo consisteva nel reclutare austriaci perché operassero nel settore sovietico. Penso di essere stato testimone di due fatti estremamente importanti per i miei romanzi. Prima di tutto i campi profughi: vedere questi relitti umani sconfitti che provenivano da tutta l'Europa.

«Poi, cosa questa che ho percepito chiaramente, è stato il passaggio diretto – nostro e delle persone con le quali lavoravamo – dall'antinazismo all'anticomunismo. È stato proprio quello spiraglio di luce nella storia che sono riuscito a cogliere. Penso anche di essere estremamente fortunato perché, in alcune occasioni, mi sono trovato al posto giusto nel momento giusto. Ad esempio a Berlino, proprio quando hanno costruito il Muro.»

– Come ricorda la Berlino del Muro?

«Allora prestavo servizio all'ambasciata britannica a Bonn e Willy Brandt – so che lei lo ha conosciuto bene e lo ha intervistato – era borgomastro di Berlino e segretario della Spd, il Partito socialdemocratico.

«Willy Brandt si recò a Norimberga per partecipare al congresso della Spd della Germania occidentale. Willy mi disse: "Ho la netta sensazione che stia per accadere qualcosa di molto grave a Berlino e, quando questo succederà, noi alleati dovremo rimanere uniti".

«Ero fermamente convinto che Brandt sapesse di cosa stava parlando. A tarda sera sono tornato a Bonn e ho pensato che, come un giornalista, avrei registrato quella storia.

«Sono arrivato all'ambasciata e ho trovato tutte le luci accese e un'estrema agitazione: era appena arrivata la notizia che la Germania Orientale aveva chiuso il Check Point di Friedrichsstrasse. Così mi sono precipitato subito a Berlino per offrire tutto l'aiuto possibile alla nostra sezione politica. Ricordo il Muro mentre veniva innalzato e mi aggiravo per strade come la Benhauerstrasse che tra poco sarebbero state tagliate in due.

«Penso che ci sia un altro risvolto a volte dimenticato. Oltre al panico della popolazione locale, c'era il terrore collettivo di chi pensava di trovarsi di fronte alle premesse di un'altra guerra mondiale. Il Muro non era stato innalzato solo per tenere i tedeschi della Germania Orientale separati da quelli della Germania Occidentale. Il Muro rappresentava anche una mossa della partita a scacchi tra Chruščëv e Kennedy e faceva parte di questa terribile danza della morte legata al mancato summit di Vienna per l'abbattimento dell'U2, all'umiliazione del presidente americano, alla crisi del Kuwait, alle bombe, ai missili... faceva parte dei giochi mondiali.

«Ricordo il ritorno a Königwinter da Berlino. Ero veramente molto stanco e stavo per iniziare *La spia che venne dal freddo*, di cui avevo in mente un abbozzo di trama. Gli imbianchini che stavano dipingendo le pareti del nostro appartamento erano scomparsi: erano corsi tutti a casa. Rientrati in seno alle loro famiglie perché pensavano che sarebbe scoppiata la guerra mondiale.»

– I servizi segreti israeliani sono ancora i migliori del mondo?

«Non ne sono sicuro. Certo non attualmente. Penso che gli israeliani abbiano un problema particolare: demonizzano talmente gli agenti che poi devono convivere con i diavoli che loro stessi hanno creato. Per quanto riguarda i servizi segreti, questo è un gioco pericoloso. È ormai assodato che l'Intelligence Service vive grazie alla propria reputazione. Se io le chiedessi: "Diventerebbe una spia britannica?" e lei prendesse in considerazione anche solo per ipotesi questa possibilità, la prima domanda che mi rivolgerebbe sarebbe: "Siete abbastanza efficienti? Vi occuperete di me? Mi proteggerete? Se vi aiuto, il mio nome andrà a finire sui giornali?".

«Quindi la credibilità dei servizi è veramente importante come se fosse un valore aggiunto alle operazioni e perciò, in un primo momento, avere un'ottima reputazione costituisce un grande aiuto.

«Allora se dici a qualcuno: "Appartengo allo MI6", questi risponderà: "Accidenti, siete davvero in gamba". Ma per tornare ai servizi israeliani, penso che in realtà, visto che si tratta di un Paese così piccolo, perdere una battaglia può significare perdere la guerra, e se perdono la guerra perdono Israele. Le loro motivazioni sono molto forti e per questo il Mossad e lo Shin Beth sono così efficienti. Reclutare allora nuovi agenti diventa semplice, considerati tutti i loro problemi di sicurezza. Mi spiace però dire che gli eventi più recenti hanno dimostrato che, quando la tensione si alza, finiscono proprio per essere come gli altri.»

– Satelliti, nuove tecnologie: è cambiato il modo di spiare il potenziale nemico?

«Continuo a sentire discorsi in cui si afferma che oggi le spie sono superate, che tutto dovrebbe essere fatto elettronicamente e che forse, grazie a questa abbondanza di informazione, non avremmo bisogno di agenti.

«La realtà è esattamente all'opposto: allestire un posto d'ascolto con tutti i computer che occorrono richiede lo stesso capitale necessario per sviluppare un deterrente nucleare. Analogamente, il numero di persone che deve essere impiegato per elaborare dati che alla fine risultano del tutto inutilizzabili è immenso. Queste persone devono essere protette, avere alta competenza tecnica, e quindi costano parecchio. È molto più "efficace" il mio segretario che riferisce ciò che faccio di trenta tecnici che ascoltano le mie conversazioni telefoniche con le microspie. Penso che ogni serio funzionario dell'Intelligence possa confermarlo. Egli preferirà avere un ottimo agente capace di selezionare le informazioni, dotato di intuito, che sappia regolare i propri spostamenti secondo l'obbiettivo piuttosto di microfoni nascosti, messaggi cifrati o altri gadget tecnologici.»

– Cosa c'era di reale e di inventato in figure leggendarie come Mata Hari?

«Non c'è nulla che le spie amino di più che romanzare le loro vicende per enfatizzare la propria abilità. Se, per esempio, dico: "Io ho lavorato con Al Sonso: era un agente fantastico, poteva vedere attraverso i muri e dietro gli angoli. Era incredibile", che cosa sto facendo in realtà? Quando parlo in questo modo, sto cercando di farle capire quanto sono bravo *io*, perché un agente "fantastico" come lui non avrebbe lavorato con un idiota.»

– Che ricordo ha dell'Inghilterra della sua giovinezza?

«Mi avevano messo in un *college* terribile. Ci sono stato da quando ho compiuto cinque anni, per otto mesi all'anno, finché non ne ho compiuti sedici e sono scappato via e sono andato in Svizzera. Ricordo, inevitabilmente, la grande crudeltà istituzionale. Ricordo la promessa di cambiamenti che non sono mai avvenuti e la speranza che il forte divario tra istruzione pubblica e privata sarebbe stato eliminato. Quando Clement Attlee andò al governo nel 1945, sconfiggendo alle elezioni Winston Churchill, si stabilì una specie di socialismo ed eravamo davvero convinti che le disuguaglianze sarebbero sparite. Amavo i laburisti per questo, ma non hanno mantenuto le loro promesse.»

– Che cosa hanno significato Churchill e Chamberlain per la vita e la storia di quel tempo?

«Penso che Chamberlain, ne fosse consapevole o no, rappresentasse l'estrema destra e l'aristocrazia terriera britannica, la quale era disposta a sostenere l'esperimento di Hitler in Europa più di quanto non immaginiamo e che, perlomeno intorno alla metà degli anni Trenta, era pronta a considerare un simile "ordine" sociale adatto anche al nostro Paese. Penso che Churchill fosse decisamente molto più realista e, naturalmente, molto più ambizioso. Poiché era un grande showman, un eccellente attore e un ottimo oratore, riuscì a diventare il portavoce dell'uomo comune sebbene fosse ancora più aristocratico di Chamberlain. Ma sono sicuro che Chamberlain sarà ricordato per sempre con vergogna per le sue concessioni a Hitler e anche per aver tradito la Cecoslovacchia.

«Chi lo difende dirà che così ha guadagnato tempo, ma penso che si tratti semplicemente di una razionalizzazione dell'evento effettuata in un secondo tempo. Chamberlain apparteneva alla vecchia scuola secondo la quale la parola d'onore di un gentiluomo è sacra, e quindi credeva anche a quella di Hitler.»

– Quando ha capito che voleva fare lo scrittore?

«Quando ero molto piccolo, credo. Perché l'infanzia che le ho descritto è frutto solo dei miei ricordi. Mi ero creato un ricco mondo interiore e volevo fare qualcosa di creativo. Sono stato prima di tutto un disegnatore. Anche quando insegnavo, ho sempre continuato a disegnare nel tempo libero e scrivevo anche pessime poesie, racconti e cose del genere. Poi entrò in azione il caso, facendomi condividere – quando lavoravo già per i servizi – la stanza con uno scrittore che godeva allora di una certa notorietà: John Bingam, l'ultimo del clan dei Morris.

«Vedere uno scrittore come John seduto al tavolo all'ora di pranzo, mentre mangiava un panino e scriveva un romanzo, mi ha dimostrato che era possibile farcela. All'epoca mi spostavo molto in treno, dalla campagna all'ufficio nell'East End e, invece di comprare il quotidiano tutti i giorni, ho cominciato a scrivere il mio romanzo su un blocchetto per appunti. E questa è stata la mia prima "vera" opera letteraria e

Bingam, assieme a un'altra persona di cui non posso fare il nome, mi ha molto influenzato ed è divenuto uno dei miei modelli, uno degli ingredienti, se preferisce, per *Tutti gli uomini di Smiley.*»

– Si è ispirato a situazioni reali, a spie vere per caratterizzare George Smiley, il suo personaggio più famoso?

«No, ho appena accennato a due persone che hanno influito molto nella creazione di Smiley, ma non credo che uno scrittore, quale che sia il suo genere, tragga veramente le persone dalla vita reale per trasferirle di peso nelle pagine di un libro. Non credo che si arrivi a conoscere così a fondo la gente per fare una cosa del genere. Penso che in definitiva posso descrivere come ti siedi, come muovi le mani, come ti vesti; ecco, posso rubarti queste cose, ma quando si tratta di definire ciò che sta succedendo nella tua mente, dietro quegli occhiali, allora devo mettere a frutto la potenzialità del mio personaggio.»

– Le sue spie pare abbiano tutte un'angoscia: redigere le liste spese e rispettare gli orari.

«Mi sembra una forzatura; non è così in tutti i miei romanzi. So, come dicono i tedeschi, che il diavolo si annida nei dettagli. Gran parte del lavoro degli agenti segreti consiste nel consultare scartoffie, stare dietro la scrivania, analizzare minuziosamente dove sono andati a finire i soldi (quello che noi chiamiamo il "percorso dell'oro"): "Cosa hai fatto con i soldi? Quando hai ricevuto i soldi? Quanto è stato speso?". Alla fine le migliori soluzioni per il lavoro dell'Intelligence derivano dall'esame minuzioso dei particolari. Ecco, se è questo che intendeva, la risposta alla sua domanda.»

– Come considera lo stereotipo delle spie nel cinema?

«Al momento stiamo girando *in loco* il film tratto da *Il sarto di Panama* e quindi penso spesso a questa faccenda. Quando chiesero a Gustave Flaubert se voleva che Madame Bovary venisse illustrata, egli rispose: "No, grazie. Finché non vi sarà alcuna immagine di Madame Bovary, lei, io e chiunque altro potremo avere ciascuno la 'nostra' immagine di Emma. Ma se riduci questa immagine a quell'immagine, allora distruggi il mio personaggio".

«Ritengo di avere sempre più la stessa preoccupazione riguardo gli interpreti dei film tratti dai miei romanzi. Con un'eccezione però: Alec Guinness, che, a mio parere, riusciva a interpretare sullo schermo televisivo George Smiley in modo che chiunque potesse mantenere l'idea che si era fatta di questo personaggio. Era un attore eccezionale.»

– Scrivere le ha portato solo il successo o è stato anche motivo di pena?

«Scrivere è la mia natura, è il mio elemento. Se fossi stato un marinaio, avrei scritto del mare. Se fossi stato un uomo d'affari, avrei scritto di business. Organizzare la narrazione per intrattenere i lettori con esperienze di questo tipo è per me irresistibile. Il giorno in cui non potrò più scrivere, sarò pronto per morire e perciò so che sono uno scrittore, sono stato uno scrittore prima ancora di essere una spia e sono stato uno scrittore dopo essere stato una spia. Sono innamorato della mia professione. Non so come enfatizzare meglio questa cosa ma, certo, sono stato terribilmente fortunato. Trovarmi così spesso nel posto giusto al momento giusto è stato quasi una magia. Un giorno vorrei raccontare la mia vita, mi piacerebbe molto.

«Quando ho letto la sua biografia, ho sentito che abbiamo in comune una magica esperienza di vita. Una volta hanno chiesto a uno scrittore inglese: "Perché scrive?", e lui: "Per avere qualcosa da leggere quando sarò vecchio".»

– Ricordo che un giorno Faulkner mi disse che per scrivere gli bastavano un po' di pace e una cassa di whiskey. Lei di cosa ha bisogno?

«Mi permetta di dirle prima di tutto che penso che Faulkner mentisse. Molti scrittori cercano una scusa qualsiasi per scrivere o per smettere di farlo. Io scrivo per il piacere dell'armonia, scrivo perché voglio che tu sia seduto in poltrona quando ti racconto una storia. Penso che ci sia un certo amore per le parabole evangeliche nella maggior parte degli scrittori: non vogliono ammetterlo, ma c'è. In fin dei conti, non dicono forse: "Ascoltami, ho una storia affascinante da raccontarti. C'era una volta un ragazzino...".

«E questa è la gioia del pubblico che non hai mai incontrato e al quale parli quando scrivi. In questo senso, sono un populista convinto; molti artisti vogliono il grande pubblico e io sono incredibilmente fortunato perché ce l'ho.

Non so come sarebbe se scrivessi e i miei romanzi non venissero pubblicati. Se dovesse succedere, continuerei a scrivere, ne sono sicuro. Spererei solo che fossero pubblicati in futuro.»

– Che abitudini di lavoro ha?

«Sono piuttosto mattiniero, quindi mi alzo il più presto possibile e faccio una bella nuotata in piscina. Di solito comincio a lavorare intorno alle sette, come oggi, e poi lavoro fino all'ora di pranzo in cui, di solito, bevo un bicchiere di vino. Durante il pomeriggio faccio una passeggiata. Scrivo a mano, poi c'è qualcuno che batte il testo al computer e io lo correggo la sera e a volte vado avanti per giorni interi fino alla fine. Non mi concedo un attimo di tregua finché non sono sicuro che tutto quadra, che ogni tassello del mosaico è andato al suo posto. Sono terribilmente lento, ma non perdo mai la pazienza.»

– Lei è religioso?

«Ho vissuto un'esperienza estremamente difficile non molto tempo fa, durante uno di quei tremendi interventi chirurgici ai quali capita di doversi sottoporre. Ho guardato su uno schermo il mio intestino mentre mi stavano operando e mi è sembrato, come mi è accaduto più volte nel corso della vita, che fosse impossibile negare l'esistenza di un genio creatore. Non ho alcuna familiarità con le chiese, con la religione organizzata. Stranamente non sento il bisogno di interrogarmi sull'esistenza di Dio e non penso che me ne preoccuperò nemmeno sul letto di morte. Ma trovo che i paesaggi, la musica, la grande poesia, le belle donne, i bei bambini siano essi stessi l'indizio di un paradiso esistente e per me questo è sufficiente, anche se è una visione molto romantica. Forse soprattutto il paesaggio costituisce per me un contatto immediato con la divinità.»

– Che cosa rappresenta per lei la Cornovaglia?

«In parte significa scappare da Londra e dal giro letterario inglese. Non mi sono mai considerato membro di quel gruppo e mi rifiuto assolutamente di andare ai party in onore di scrittori, non vado alle presentazioni di libri, ho deciso di non ritirare premi per i miei romanzi e non riesco a scodinzolare davanti a un critico che scrive su di me. Ho già scritto a proposito di questo mio atteggiamento: una volta sfuggito a tutte le istituzioni in cui mi avevano rinchiuso da giovane, sono assolutamente risoluto a non lasciarmi intrappolare nel giro letterario.

«Per ogni artista, perlomeno in Inghilterra, ci sono all'incirca duecento persone pronte a dirgli cosa deve fare. Mi rifugio in Cornovaglia per proteggere l'autonomia della mia creazione, per difendere il mio lavoro, per non permettere di essere influenzato: non scrivo per piacere alla critica, non scrivo per piacere a un certo giornale. Scrivo per piacere a un invisibile lettore. Amo il paesaggio di questa regione, sono profondamente affezionato alla comunità locale proprio perché è una comunità "perdente": avevamo le miniere e sono scomparse, avevamo la pesca e sta morendo, avevamo l'agricoltura ed è stata messa in catene dalla politica comunitaria europea; non coltiviamo più i prodotti locali, i prodotti tradizionali. Dove cinquant'anni fa lavoravano trenta persone, oggi ce ne sono tre. È una comunità che deve trovare una nuova identità. Nella graduatoria europea della povertà, noi della Cornovaglia siamo gli ultimi in classifica, con un reddito pro capite, credo, inferiore a quello della ex Germania Orientale. Queste persone non meritano di essere così abbandonate dalla storia e dalla prosperità.»

– In Inghilterra è stato inventato il Welfare State. È una politica che va mantenuta o deve essere cambiata?

«Sì, abbiamo inventato lo Stato sociale, ma non abbiamo inventato la compassione né tantomeno il senso di responsabilità nei confronti dei "perdenti". In qualunque modo verrà chiamato in futuro questo sistema, mi sembra che sarà sempre più necessario preoccuparsi dei "falliti" della società.

«I soldi sono diventati la misura di ogni cosa, il nostro Paese è invaso da supermiliardari venticinquenni, o almeno i giornali riportano continuamente storie del genere, e la forbice fra ricchi e poveri si sta ampliando a vista d'occhio.»

– Come descriverebbe l'inglese di oggi?

«Non credo che ci sia più una figura del genere, come uomo inglese ideale o come archetipo britannico. C'era un tempo in cui il vostro Paese trasmetteva un'immagine di nobile italiano: colto, politicamente civilizzato, pronto ad andare in guerra. Il nostro Paese produce l'archetipo del gentleman.

Gli Stati Uniti producono l'archetipo del cittadino. Ora spero che tutte queste distinzioni stiano scomparendo. Siamo una società multirazziale, multietnica, multireligiosa. E penso che sarebbe meraviglioso se, umilmente, distruggessimo questi prototipi a favore di una tolleranza e di un liberalismo reciproci.»

JOSTEIN GAARDER
IL GRANDE NORD

Il luogo. Norvegia significa «la via del Nord». Il territorio è composto da oltre 150.000 isole ed è coperto dalla neve da metà dicembre a metà marzo. La primavera è la stagione più calda dell'anno.

I norvegesi sono abituati a vivere in solitudine (si registra la minore densità d'Europa): costretti ad arrangiarsi, sono individualisti, forti e tenaci.

Si dice: «I danesi devono essere sorridenti, gli svedesi corretti; i norvegesi sono i più liberi perché non devono essere né sorridenti né corretti». Nelle massime c'è sempre qualcosa di vero e dicono anche che da quelle parti ridono soltanto gli ubriachi e i fanciulli.

Anche l'arte può offrire qualche prova di questa teoria; l'individualismo e la malinconia si ritrovano nelle musiche di Grieg e nei dubbi tormentosi di Ibsen, nei fantasmi rossi e bianchi che ballano nei quadri di Munch, nei suoi alberi tristi, negli amanti infelici. Sono abituati a vivere da soli, chiusi in confini ristretti che creano legami destinati a resistere nel tempo.

Portati all'avventura, tenaci e leali, si dimostrano molto guardinghi e cauti nel decidere e controllati nel reagire. Il loro umore dipende molto dalla natura; si svegliano dall'inverno affamati di sole. Per duecento giorni dell'anno a Oslo c'è il gelo. Esiste un male che si chiama «Voersyk», una sofferenza legata alle stagioni che la primavera guarisce.

Sanno trattenere la risata e la collera, non si sbilanciano nelle sentenze: «Non giudicare la moglie finché non è cremata; non giudicare una spada finché non hai fatto un duello; non giudicare una ragazza finché non è andata sposa; non giudicare la birra finché non sei sbronzo». Sono ammonimenti tratti, nientemeno, dagli antichi detti di Odino.

La loro epica è legata ai velieri: subiscono il fascino dell'Inghilterra. Dagli anglosassoni hanno preso perfino il *sense of humour*: nella tetraggine si insinua l'ironia; la tensione o il volo, l'enfasi vengono ridimensionati con una battuta.

Le giornate quaggiù hanno cadenze provinciali, intime, e i gusti sono semplici: con i primi risparmi non comperano un'auto, ma una barca. L'onestà è ancora una virtù molto apprezzata, il senso del dovere resiste. I poliziotti girano disarmati.

Vogliono abolire il privilegio e in ferrovia hanno abolito le classi: si viaggia in prima pagando la seconda. Le ville dei signori, nascoste nel silenzio delle colline, fanno un po' venire in mente la casa di Ljubov' Andreevna Ranevskaja, la bella e dissipatrice padrona del *Giardino dei ciliegi*: è già pronto il mercante Lopachin con i suoi rubli. Non penso alla rivincita dei servi, ma all'appiattimento dei vari ceti, al ricambio. La sicurezza ha un prezzo.

Qualcuno afferma che lo sport nazionale è lo sci: c'è un museo che ne celebra l'importanza ed espone due assicelle che furono usate da un nordico venticinque secoli fa. Tutta la famiglia, nei giorni di festa, va a fare la sua gara di fondo.

Non si capisce il loro modo di essere e il loro temperamento, se non si guarda il paesaggio che li circonda e li condiziona. Tutte le loro saghe sono legate all'acqua e al mare: dovevano navigare per sopravvivere e per incontrare gli altri. Tre quarti della superficie della loro terra è inabitabile e non può essere coltivata: cinquantamila isole, quasi tutte deserte, il più grande ghiacciaio d'Europa, lo Jostedalsbre, e il lago più profondo, l'Hornindal.

Poi il fiordo, questa costruzione di Dio splendida, unica e misteriosa, che tutto riassume. Tre elementi, spiegano, sono necessari alla sua formazione: una catena di montagne, il letto di un fiume e un periodo glaciale. Queste rare circostanze si sono verificate in Norvegia un milione di anni fa.

Più di duemila specie di piante chiazzano il verde degli altipiani: il pino silvestre e l'acero, la quercia e il frassino, il nocciolo e l'anemone del bosco. Sono quasi scomparsi gli orsi, ma si va a caccia del capriolo e del lupo, dell'urogallo e del ghiottone, della lontra e dell'aquila reale, e in duecento corsi d'acqua si getta la lenza per fare abboccare il salmone e la trota di mare.

Il norvegese è forte. La maggioranza ha gli occhi blu. Vive all'aria aperta, fatica, pattina e nuota, manovra il timone e le scotte, cammina: ma gli infarti, il parto, il cancro e le malattie infettive se lo portano via. Penso che l'«abbuffata» a molti, alla lunga, riesca fatale: certi piatti, come la pernice delle nevi in salsa di panna, l'arrosto di alce, le more immerse nella crema, devono essere il trionfo del colesterolo.

E poi basta presentarsi una mattina in albergo per la prima colazione: ci sono tavoli di vivande che sembrano descritti da Rabelais e ripensi a certe classici banchetti pantagruelici raccontati da Gogol': aringhe e acciughe in tutte le maniere, cotolette di maiale alla griglia, polli, uova alla tartara, salami, cereali, patate arrosto e bollite, frittate, confetture, formaggio di capra, tante insalate, torte e budini. Ci sono turisti che, per ingordigia, rischiano il colpo. È lontana l'epoca in cui Knut Hamsun scriveva *Fame*: ancora all'inizio del Novecento erano tra i popoli più poveri, e molti si imbarcavano per le Americhe in cerca di fortuna.

Da allora molto è cambiato. E in meglio, certo. I braccianti, i marinai, i pescatori, i boscaioli, hanno la garanzia del lavoro, i figli vanno a scuola e devono imparare un'altra lingua, e tutti versano almeno un terzo dei loro proventi per le tasse. Lo Stato finanzia i partiti in proporzione al loro peso elettorale e non ci sono scandali.

Ciò che ha mutato, anzi sconvolto il panorama economico è stata la scoperta del petrolio nel Mare del Nord. Una ricchezza. Prima dell'avventura dell'«oro nero» la vita della Norvegia era legata alla pesca, ai cantieri, all'alluminio e all'agricoltura. E qualcuno ha detto: «Forse è pericoloso avere qualcosa per niente», ma non ci sono stati turbamenti profondi.

Tra Russia e Norvegia ci sono 196 chilometri di frontiera, ma mai gravi questioni da dirimere. Nessun incidente di rilievo: qualche branco di renne che ignora le barriere tracciate dagli uomini inseguendo l'erba tenera; un'alce colpita dai cacciatori che va a morire sull'altra sponda del Pasvik. Ci si mette sempre d'accordo e ognuno recupera il suo. Un tempo sui due versanti erano affissi cartelli che avvertivano: «È vietato prendere foto e fare gesti di dileggio».

Il personaggio. Jostein Gaarder è nato a Oslo nel 1952. Ha studiato filosofia, teologia e letteratura, e per dieci anni ha insegnato a Bergen la ricerca del sapere. Ha due figli, sostiene che è più importante essere un buon padre che un buon insegnante e ammonisce: «Rispondere correttamente alle domande dei bambini è un dovere dei genitori ed è giusto dire: "Non lo so" quando non si conosce la risposta».

Lui si considera un cercatore avido di verità. Ha pubblicato il primo libro nel 1986, ma il successo internazionale arriva con il romanzo *Il mondo di Sofia,* tradotto in 41 lingue, tiratura totale venti milioni di copie.

Dice: «Credo che la filosofia sia diventata il rock and roll degli anni Novanta. È di moda, come la musica negli anni Sessanta e la politica nei Settanta». E spiega: «Quelli che considero i più grandi pensatori della nostra storia recente sono stati al tempo stesso scienziati e filosofi, come Albert Einstein».

E passa agli esempi: «Un filosofo è qualcuno che sa porsi delle domande. Infatti, uno potrebbe riassumere la filosofia in dieci o quindici interrogativi essenziali. Da una parte quelli morali: come è una buona società? Cos'è la giustizia? E poi ci sono le grandi questioni ontologiche: qual è la natura dell'universo? Da dove viene il mondo? Dio esiste?».

E ancora: «Forse oggi siamo arrivati a un punto in cui abbiamo bisogno di un nuovo modo di pensare. Basta vedere quello che stiamo facendo alla natura: lo squilibrio ecologico rende urgente una nuova filosofia esistenziale. I bambini sono filosofi naturali. Quando si cresce si perde poi la facoltà di porsi delle domande».

Ha creato una fondazione che ogni anno premia con 100.000 dollari chi ha fatto qualcosa di importante per l'ambiente.

L'incontro. – Quando è nato il suo interesse per la filosofia?

«Ho scoperto la filosofia molto prima di comprendere il significato di questo termine. Fin da bambino, mi ponevo molte domande sull'esistenza: che cos'è il mondo e da dove viene? E, allo stesso tempo, quando ero molto giovane mi preoccupava il fatto che la vita fosse così breve. E ciò mi poneva parecchi interrogativi.»

– Si aspettava di scrivere un best seller mondiale?

«Quando scrissi *Il mondo di Sofia* ero fortemente convinto che il libro avrebbe raggiunto pochissimi lettori. Non mi sarei mai sognato che venisse tradotto. Ma quando capii che c'era un forte interesse per un testo di filosofia fondato su un racconto, allora mi sono dovuto chiedere che cosa stava succedendo. Oggi mi sono fatto una certa idea del perché un libro di questo genere abbia avuto un tale successo, ma sono ancora molto sorpreso che si possa raggiungere un numero di lettori così elevato. E ciò mi rende molto felice.

«Ho l'impressione che parecchia gente pensi che la filosofia sia una cosa molto importante, affascinante, stimolante, ma al tempo stesso troppo difficile. Ma quando si accorgono che è possibile avvicinarsi a una visione di insieme della storia del pensiero europeo, inquadrata in un racconto che si rivolge anche ai più giovani, capiscono che non è poi così complicata.»

– Tentiamo una definizione: che cosa è la filosofia?

«Se consideriamo il significato letterale del termine: "amore per la sapienza". Si desidera cioè comprendere più a fondo il mistero di cui si è parte, quello della vita. La filosofia si pone due tipi di interrogativi. Ci sono le grandi domande che riguardano l'ontologia: che cosa è il mondo?, da dove veniamo?, c'è un dio dietro tutto ciò?, c'è una vita dopo questa? È un genere di domande che affascina tutti, anche se ci si rende conto che non è possibile dare loro una risposta. O meglio, non è possibile con le nostre facoltà. Nonostante tutto ciò, l'umanità si è sempre posta in tutte le epoche questi interrogativi.

«Poi c'è un altro gruppo di questioni: che cosa vuol dire vivere correttamente? che cos'è la felicità? che cos'è l'amore? che cos'è una società giusta? che cos'è il perdono? È importante per ciascuna generazione, per ciascun individuo, dare una risposta. Non ci si può aspettare di vivere correttamente se non ci si chiede quali siano i valori importanti. Per quanto riguarda le questioni ontologiche, anche queste hanno una risposta. Per esempio, rispondere alla domanda "Che cos'è la vita?" è oggi più facile, dopo che è stato scoperto il DNA verso la fine degli anni Cinquanta.»

– Che cosa vuol dire essere filosofo oggi?

«La parola filosofo ha due significati. Si definisce filosofo l'esperto di storia della filosofia. Io invece ritengo che si debbano tenere in considerazione anche le singole persone, come per fare un esempio classico Socrate, che era semplicemente interessato a capire. Voglio dire che un filosofo è una persona interessata a comprendere il mistero del mondo. Non solo della propria vita, ma anche dell'universo.»

– Qual è il pensatore che lei ama di più, e perché?

«È difficile citare *il* filosofo preferito. Mi è stato tante volte chiesto se sono in grado di indicarne uno. Per assurdo, mi piacerebbe poter parlare con Socrate perché è un personaggio misterioso. Non sappiamo chi fosse il vero Socrate perché lo conosciamo solo attraverso quanto hanno scritto su di lui i suoi allievi. Inoltre dobbiamo riconoscere che buona parte del pensiero razionalistico attuale ha radici che risalgono fino a lui.

«Poi mi piacerebbe parlare con Gesù Cristo, che considero il più importante filosofo morale. Personalmente mi basta la filosofia morale del Nuovo Testamento e anche Gesù è avvolto nel mistero.

«Il terzo è Buddha che non conosciamo in maniera diretta, ma solo attraverso i suoi discepoli. Per me è un grande psicologo, vedeva molto in profondità nella vanità delle cose.»

– Le idee sono sempre innocenti?

«Credo che ci siano molti esempi di idee pericolose. Prendiamo l'esempio del Terzo Reich: il programma semplice e "geniale" dell'Olocausto. È chiaro che l'idea in sé è priva di "razionalità", era il cervello che l'ha prodotta che era folle. L'idea era senza cuore e doveva essere criticata proprio per questa mancanza di sentimenti e per la sua spaventosa crudeltà.

«Posso fare anche un altro esempio. Io mi preoccupo molto del rispetto dell'ambiente e incontro a volte attivisti che considerano l'umanità come un batterio, un microbo: la cosa migliore che ci augurano è di essere sterminati così che la terra possa guarire dall'inquinamento. Questo atteggiamento radicale è molto pericoloso. Mi sorprende, però, l'enorme quantità di idee positive che sono in circolazione.»

– Come spiega che certi uomini di grande cultura e di grande prestigio hanno subìto il fascino di Hitler?

«Se pensiamo che il nazismo si è sviluppato nel cuore di una nazione che era un grande esempio di civiltà e di cultura ci possiamo chiedere che cos'è che è andato storto. Non è facile rispondere. Abbiamo anche esempi di intellettuali che presero subito una marcata distanza.»

– Che cosa ci ha dato la filosofia del XX secolo?

«Citerò un solo esempio. Due anni fa abbiamo festeggiato il cinquantesimo anniversario della Dichiarazione dei diritti universali dell'uomo. Questa proclamazione non era il frutto di pensieri estemporanei, ma di secolari riflessioni di pensatori e filosofi. Forse adesso abbiamo bisogno di una Dichiarazione dei doveri dell'uomo. Viviamo in un pianeta che è fortemente minacciato dall'inquinamento ambientale e ritengo sia compito del pensiero affrontare questo problema.»

– In Norvegia, tutti gli studenti universitari studiano filosofia per un semestre. Come può aiutare i giovani ad affrontare il mondo?

«La Norvegia è un caso particolare. Credo che soltanto in Norvegia e in Polonia tutti gli studenti studino filosofia. Ciò significa che un medico, un antropologo, un linguista hanno come base la stessa conoscenza di storia della filosofia occidentale. È una tradizione che risale al Medioevo. È scomparsa negli altri Paesi e la ritroviamo soltanto in Norvegia e Polonia. Credo che sia importante per i docenti di diverse discipline avere una base di riferimento comune. In Norvegia ci batteremo perché questa tradizione venga mantenuta.»

– Come sono oggi i giovani norvegesi? Assomigliano ai maledetti e infelici raccontati da Knut Hamsun?

«No, sono passati più di cento anni da quando Hamsun scriveva i suoi primi romanzi. Hamsun riusciva a trasmettere un'immagine molto viva di personaggi straziati dal dolore. Tutto ciò è stato rappresentato anche da altri scrittori norvegesi, per esempio Olav Duun e Arne Garborg. Ritengo anche che negli ultimi venti o trent'anni siamo diventati una nazione più europea, come testimonia il nuovo ponte tra Svezia e Danimarca.»

– Chi ha raccontato meglio il suo popolo?

«Ritengo che Ibsen sia riuscito a esprimere ottimamente l'animo norvegese nelle sue opere teatrali, per esempio *Gli spettri* e *Peer Gynt*.»

– Ci sono i norvegesi di mare e quelli delle montagne. Quali sono le loro caratteristiche?

«Domanda interessante, perché già nella mitologia ci sono miti su una dea della montagna che si sposa con un dio del mare. Ma non si misero mai d'accordo su dove abitare; allora trascorrevano sei mesi al mare e sei mesi in montagna. Si dice che la dea della montagna non volesse stare al mare per il fastidio che le davano i gabbiani. In ogni caso credo che i contadini della montagna abbiano molti tratti in comune con quelli della costa. Anche se la costa è stata molto di più caratterizzata dall'ambiente marino, dai cacciatori di balene che hanno dovuto affrontare problemi del tutto differenti da quelli dei contadini che vivevano su un terreno poverissimo.»

– Un tempo si diceva che i norvegesi non si sbilanciavano troppo: «Non giudicare una giornata finché non è sera, non giudicare il ghiaccio finché non l'hai attraversato». È ancora così?

«Credo che i norvegesi siano meno spontanei degli italiani. Siamo più riflessivi dei meridionali europei. Ci siamo liberati dall'influsso del potere degli elementi e ci siamo trasferiti in ambienti urbani che dipendono meno dalla terra. È chiaro che la natura è imprevedibile e in Norvegia è possibile sperimentarlo sia nelle zone costiere sia in montagna. Se il raccolto di fine estate non dava i frutti sperati, questo rappresentava un grave problema. Come quando il capofamiglia perdeva la vita in mare.»

– Che cosa è rimasto del mondo dei cacciatori di balene?

«Il tempo dei balenieri è definitivamente tramontato. L'attività di caccia viene ancora svolta, ma in misura limitata e senza alcun interesse economico rilevante.»

– Che ricordo conserva dei grandi esploratori come Nansen, Amundsen ed Heyerdahl?

«In Norvegia sono considerati ancora eroi nazionali. Siamo orgogliosi che Amundsen sia arrivato per primo al Polo Nord e credo in ogni caso che nella coscienza dei giovani di oggi queste persone abbiano un posto molto importante. È bello vedere come Thor Heyerdahl riesca a impressionare i ragazzi raccontando le sue imprese. Io stesso, che ho adesso cinquant'anni, quando ero bambino parlavo con i miei amici dei film di cowboy, delle star di Hollywood e delle imprese di Thor Heyerdahl e della sua *Kon-tiki*.»

– Ci sono ancora luoghi incontaminati?

«Ammetto che mi considero molto privilegiato perché, pur vivendo in una capitale europea, nel giro di cinque minuti posso abbandonare la civiltà e camminare per ore e ore nella foresta senza incontrare nessuno. Ci sono molte zone montagnose che sono state trasformate in parchi nazionali e, nonostante ciò, mi piacerebbe che si facesse ancora di più. Un po' della natura norvegese è andata perduta, però buona parte è ancora ben conservata. Molto spesso mi chiedono quali sono i veri valori della vita. Rispondo che è importante godere di buona salute, avere buoni amici e una buona relazione sessuale e allora tutti si dichiarano d'accordo. Ma quando aggiungo "natura incontaminata", allora mi sento veramente norvegese, perché molti europei non si riconoscono in questa aspirazione. Forse è un aspetto tipicamente scandinavo, o forse mi ritengo assieme a molti altri norvegesi un "natural-romantico".»

– Ricordo la parola *voersyk*: era una sofferenza legata alle stagioni. Si prova ancora?

«Siamo sempre meno dipendenti dalla natura. Contemporaneamente, però, la Norvegia è molto esposta agli agenti atmosferici e ogni anno è investita da tempeste e uragani che provocano notevoli danni. Ciò mi fa pensare che tra molti norvegesi ci sia ancora questa sensazione di rispetto per gli dèi del tempo passato.»

– Perché la vostra letteratura e la vostra pittura, da Ibsen a Munch, hanno spesso il segno della disperazione?

«Se facciamo un passo indietro, nel XIX secolo, c'era molto nazional-romanticismo ed erano in auge i motivi della vita in campagna e dei pescatori. Verso la fine del secolo, sia in Norvegia sia in Europa, si passò all'espressionismo e lo si può vedere nelle opere di Munch. Addirittura qualcuno interpreta *Il grido* (dipinto nel 1893) come un'icona nazionale e ciò testimonia un aspetto dello sconforto dei norvegesi. Non sono però sicuro se ci siano più documenti di questa disperazione esistenziale nell'arte norvegese che in quella europea.»

– Il 35 per cento del bilancio statale è per l'assistenza e

praticamente non esiste disoccupazione. Come si spiega il diffondersi della droga e della prostituzione?

«È paradossale, naturalmente, che si abbiano problemi di droga in una società così ricca come quella norvegese.

«Sono d'accordo che è una assurdità che ci siano problemi sociali rilevanti in Norvegia, una nazione per certi aspetti molto privilegiata. Alcune ricerche indicavano come positivo il fatto che lo standard di vita migliori riducendo l'incidenza di fenomeni come il suicidio, l'abuso di sostanze stupefacenti, l'incidenza del divorzio, l'alcolismo. Però fino a un certo punto. Ciò si verificò nella società norvegese attorno agli anni Settanta, quando l'aumento del livello del tenore di vita coincise con l'aumento delle problematiche sociali. Una possibile risposta potrebbe essere che, in un mondo materialistico come il nostro, gli oggetti a un certo punto si impossessano della nostra coscienza a scapito dei rapporti umani e ciò crea problemi. C'è un proverbio che dice: "L'ozio è il padre dei vizi". È importante avere a disposizione tempo libero, soprattutto se si pensa che prima molti lavoratori erano impegnati per dodici-quindici ore al giorno. Il contrario, però, e cioè averne troppo, può essere un problema altrettanto vero. Una società dovrebbe trovare l'equilibrio tra questi due estremi.»

– Il petrolio vi ha fatto ricchi. Ha portato anche qualche inconveniente?

«L'avventura del petrolio, come spesso viene chiamata in Norvegia, può essere paragonata, fino a un certo punto, alla storia di re Mida al quale gli dèi concessero di trasformare in oro tutto quello che toccava. L'esito non poteva non essere che tragico perché non poteva cibarsi dato che tutto si trasformava in metallo. Allo stesso modo la Norvegia non può vivere di solo petrolio, innanzitutto perché è una risorsa limitata ed è quindi necessario mantenere un settore agricolo vitale e sviluppare un buon apparato industriale e tecnologico.»

– Siete una delle ultime monarchie del mondo. Cosa rappresenta il re per voi?

«Non ritengo che la casa reale svolga un ruolo unificante per la popolazione. Credo che la maggior parte dei norvegesi desideri mantenere la monarchia, ma questa è un'altra delle questioni che hanno caratterizzato un po' tutto il nostro Novecento.

«C'è stato un ravvivarsi del dibattito proprio recentemente perché il principe ereditario ha intenzione di sposarsi e quindi ci si chiede con chi dovrebbe farlo.

«Ritengo che la maggior parte dei norvegesi riconosca la grande mole di lavoro che la casa reale ha svolto per la nazione.»

– La prima volta che sono venuto nel suo Paese si parlava ancora di Quisling e la vedova era ancora viva. Cosa sanno oggi i giovani di quel tempo?

«È un periodo che si studia molto a scuola. Credo che oggi, per la maggior parte dei giovani, Quisling rappresenti un tema che non ha bisogno di molte spiegazioni. Anzi, il suo nome è diventato un termine internazionale per designare un traditore.»

– Si dice Scandinavia, ma che differenza c'è tra un norvegese, uno svedese e un danese?

«Credo che la differenza maggiore si possa riscontrare tra danesi, norvegesi e svedesi da una parte e finlandesi dall'altra. Se non altro perché il finlandese è una lingua che appartiene a un altro gruppo. È chiaro che, tra vicini, si ritiene che gli altri siano molto diversi, ma la differenza non è molto rilevante. Si tratta di luoghi comuni affermare che un danese è più vivace di un norvegese che viene considerato più pedante, più riflessivo. Forse c'è una verità di fondo in queste considerazioni, ma ritengo che le differenze siano minime.»

Aleksandra Marinina
Russia, delitto e castigo

Il luogo. Lo stalinismo ha inizio ufficialmente il 1° dicembre 1937, ma i dolori per il popolo sovietico cominciano tre anni prima, dopo l'uccisione di Kirov, segretario del Partito a Leningrado, assassinato da un allucinato Leonid Nikolaev allo Smol'nyj, l'antico collegio delle fanciulle nobili, con un colpo di Nagan alla schiena.

L'omicida è un giovane nevrotico che ha preso parte alla guerra civile. Odia la burocrazia che secondo lui difende i trockisti. Butyrka, Taganka, Lubjanka sono nomi che corrono su tutte le bocche. L'Hotel Lux diventa una specie di posto di transito: da lì al gulag.

Cominciano i grandi processi, le «purghe» (*purgà* in russo significa «tempesta di neve»). Su 142 membri del Politbjuro e del Comitato Centrale, 104 ci lasciano la pelle. Dice Nikolaj Bucharin, direttore prima della *Pravda* («La verità») poi delle *Izvestija* («Le notizie»): «Niente fermerà Stalin».

Togliatti, al VII Congresso, saluta invece in lui «il capo, il maestro, l'amico del proletariato e degli oppressi».

Si scatenano intrighi, vendette, «confessioni» strappate con l'inganno e la tortura, oppure facendo leva su un ingenuo idealismo. Lo sgomento avvolge la torpida giornata dei russi. La legge è cancellata. Già Lenin ha ammesso: «Viviamo in un mare di illegalità». Majakovskij indirizza a Esenin un verso ammonitore: «È facile morire ai nostri tempi; è più duro vivere».

Fra il 1936 e il 1938, secondo calcoli prudenti, perdono la vita tra i sette e gli otto milioni di persone, delle quali un terzo sono membri del Pc. Ricordava Erenburg: «In seguito soffiò più vento del necessario, vento di tramontana. Fu un vero miracolo se non volai via». Tra le vittime gli scrittori Babel', Pil'njak, Mandel'štam.

Ci sono simboli che paiono associarsi a una idea della letteratura cattiva e tenebrosa: Čeka, Gpu, Nkvd. Ci sono personaggi che appartengono alla fosca saga del potere. Comincia Feliks Dzeržinskij, «il cavaliere della Rivoluzione», «il ferreo Dzeržinskij». Polacco, nasce in una famiglia nobile, ma di modeste risorse; da giovinetto manifesta slanci mistici, vuole diventare prete cattolico, poi si vota al comunismo: vent'anni di lotta con l'Ochrana, la polizia segreta zarista.

All'inizio ha a disposizione 120 funzionari. I suoi uomini portano giacconi di pelle lucida, sono armati di Mauser e quando c'è da eliminare gli avversari – gli anarchici, i «bianchi», gli zaristi – fanno andare i motori dei camion per coprire il rumore degli spari e si gonfiano di alcol per darsi coraggio. Li sistemano nella sede di una compagnia di assicurazione: la Lubjanka.

Ci va a finire tanta gente. «Solo la morte può raddrizzare la gobba» è un detto popolare. Nel carcere è in vigore una specie di cerimoniale: i condannati consegnano i loro indumenti e ricevono un camiciotto bianco. Una cella è adibita al «servizio» e l'arma usata è una TT automatica, con otto colpi. Un medico certifica il decesso.

Alla Lubjanka, che si affaccia su piazza Dzeržinskij, poco lontano dal Bolšoj, arrivano tanti bei nomi. Le celle sono molto affollate, le finestre sono bloccate con imposte che lasciano intravedere un frammento di cielo. Dalle 11 di sera alle 6 di mattina, riposo: con l'obbligo di non nascondere le mani sotto la coperta. Come in molti collegi.

Al tempo degli zar certe cose, rispetto all'Europa, accadevano con ritardo; altre, in quello dell'Urss, avvenivano con anticipo. L'arte della stampa, ad esempio, arrivò cento anni dopo la prima Bibbia pubblicata da Gutenberg; la prima commedia messa in scena su un vero palcoscenico, in un vero teatro, fu rappresentata mezzo secolo dopo la morte di Shakespeare ed ebbe un unico spettatore: lo zar Alessio. Invece la censura, la polizia segreta, l'esilio e i lavori forzati sono passati in eredità dai Romanov ai Soviet senza alcuna interruzione.

La condizione dell'intellettuale ha sempre comportato i suoi rischi; il delitto ideologico conduceva una volta alla Fortezza di Pietro e Paolo o in Siberia: in seguito la Lubjanka e i campi di concentramento accolsero gli eretici.

Dostoevskij fu condannato a morte per avere letto pubblicamente un testo ritenuto sovversivo: all'ultimo momento i soldati abbassarono i fucili e la condanna venne commutata nella deportazione. Diceva di lui Lenin: «È ripugnante», e Stalin: «È un grande romanziere e un grande reazionario; guasta la gioventù».

Turgenev, inventore della parola e della figura del nichilista, è stato costretto a espatriare. Puškin muore in un duello provocato per ordine del despota: nei suoi versi ha esaltato le libertà. Čechov attraversa tutta la Russia per andare a raccontare la vita degli esiliati nella *tajgà*. Tolstoj predica una forma di anarchismo cristiano universale, si batte contro i metodi del governo, respinge i pregiudizi e i vantaggi della sua classe.

Poi, la rivoluzione. Sergej Esenin, figlio di un *mugik*, nella poesia *Compagno* narra di Gesù che scende sulla terra per aiutare il popolo russo, ma la pallottola di un poliziotto lo uccide. Esenin beve, si droga, cambia di continuo donne, vuole annullarsi. Scrive: «Non sono un "uomo nuovo"». Il 27 dicembre 1925 si impicca in una camera d'albergo.

Vladimir Majakovskij, «il migliore e più delicato poeta della nostra epoca sovietica», come diceva Stalin, si tira una rivoltellata.

Zoščenko, l'umorista, è ridotto in miseria dai funzionari perché il Comitato Centrale lo ha classificato «spirito triviale e disgustoso».

Anna Achmatova ha un marito, anche lui poeta, che la fa molto soffrire: Nikolaj Gumilëv. Nel 1921 lo fucilano come cospiratore rivoluzionario. Stalin fa arrestare Lev, il figlio. Per diciassette mesi Anna si mette in fila davanti alle carceri per avere qualche notizia, per lasciare un pacco. Poi il giovane è mandato in un campo dove resta fino alla morte del dittatore.

Osip Emil'evič Mandel'štam ha compiuto un solo grandissimo errore: ha scritto alcuni versi sferzanti sul compagno Stalin, che ha «dita grasse come i vermi», «baffi da scarafaggio» e si diletta «dei servizi di semiuomini».

Prima la condanna a tre anni di esilio per cospirazione, poi a cinque di lavori forzati in Estremo Oriente, passando, ovviamente, per la Lubjanka.

Quando si affaccia con insistenza allo spioncino della cella, le guardie, esasperate, gli spruzzano un liquido abrasivo negli occhi. «Sono rossi» giustifica poi il giudice istruttore «perché legge troppo.»

Gli danno cibo salato e mai da bere; se protesta, camicia di forza e cella di rigore.

Conobbi Ol'ga Ivinskaja, la donna che ha ispirato a Pasternák la figura di Lara, una creatura che aveva, si legge ne *Il dottor Živago*, «una intelligenza limpida, un carattere mite. Ed era molto graziosa». Dopo i primi incontri Borja, che inventava per lei tanti vezzeggiativi – Lailjuša, Olečka, Oljuša –, sospira: «Sei il mio regalo di primavera, anima mia».

Ma Ol'ga nelle sue memorie annota: «Ma quanta felicità, quanti orrori e quanto scompiglio mi portò quell'uomo».

C'erano già nella sua storia alcuni morti e, per ben due volte, il campo di concentramento.

Mi raccontò: «Sono arrivata in carcere in un periodo molto delicato per una donna: ero incinta. E per questo mi davano un cibo speciale, migliore. Il magistrato che doveva passare con me un certo numero di ore le impiegava recitando poesie. Lager e prigione sono brutti in modo diverso. In carcere ciò che pesa di più è l'attesa. Ma senz'altro si stava meglio: si poteva uscire in cortile e vedere crescere l'erba. In cella ho perso il mio bambino, il nostro bambino, e ho vissuto le notti interminabili degli interrogatori».

Solženicyn ha calcolato in quaranta milioni le vittime delle repressioni e sostiene che nessuna tragedia del passato può essere paragonata a queste stragi, ed è il mitico Lenin il primo tiranno.

A Parigi andai a trovare l'esiliato Andrej Siniavskij: era professore di slavistica alla Sorbona. Accusa: aveva pubblicato all'estero romanzi fuori dalla regola sotto lo pseudonimo di Abram Terz, un bandito ebreo di Odessa. Aveva passato sei anni in un campo di lavoro, in Mordovia. Colpa: propaganda e attività antisovietica perché scriveva opere letterarie e le spediva clandestinamente in Occidente e quei testi erano considerati antiregime. Anche lui era «capitato alla Lubjanka». «La prigione sovietica è, esteriormente, persino teatrale» mi raccontò. «Ti immerge in uno spettacolo cupo: i capi sono terribilmente arcigni, le guardie non conversano mai e, quando urlano, abbaiano frasi spezzettate e poi il regolamento: braccia dietro la schiena e così via.»

Anna Larina era la vedova di Nikolaj Ivanovič Bucharin, il dirigente più popolare dopo Lenin, fatto sparire da Stalin con l'accusa di «cospirazione controrivoluzionaria». Una chiromante tedesca glielo aveva predetto: «Lei sarà ucciso nel suo stesso Paese». Ma Bucharin non credeva ai presagi.

Mi raccontò: «Sono stata reclusa alla Lubjanka nel 1939 e nel 1940. Erano momenti duri. Mi succede sempre, ogni volta che passo per quella piazza, di guardare quell'edificio con un senso di oppressione, e mi rallegro di non essere più là».

Venticinque anni fa mi trovavo a Mosca. C'ero già stato. Poi ci sono tornato altre volte. Chiesi di visitare una prigione. Con poche speranze. Mi aveva detto un diplomatico: «Questa è una società casta e rigorosa. I russi ripudiano il peccato, il peccato li offende». E io volevo, addirittura, compiere un breve viaggio nella colpa. Non mi facevo illusioni: avevo già chiesto di assistere a una udienza del tribunale. A loro scelta. E senza risultato.

Passai una sera davanti al telegrafo; c'erano alcune ragazze che passeggiavano con non dubbie intenzioni. L'interprete mi spiegò risentito: «Sì, sono donne facili, ma da noi è diverso perché non esiste lo sfruttamento capitalista».

Anche la galera nell'Urss cambiava nome: diventava «colonia». Così accadde a un cronista dei Paesi capitalisti di non essere ammesso in pretura, ma di entrare nella «colonia» di Krjukovo.

C'era posto per mille detenuti, il direttore indossava la divisa militare e aveva modi umani. Si respirava un po' l'aria della caserma quando arriva l'ispezione. Nella camerata le brande apparivano in ordine perfetto, le scale erano state lavate di fresco, la dispensa odorava di cetrioli e di pesce in salamoia, in cucina nelle grandi pentole bollivano le verdure e la carne del *boršč*.

I prigionieri erano al lavoro nelle officine, fabbricavano pezzi di macchine o utensili. Il direttore dell'istituto, che studiava criminologia, mi aveva spiegato che il 70 per cento dei delitti passionali era dovuto all'etilismo. Dice un vecchio proverbio: «La gioia della Russia consiste nel bere».

Mi avevano avvertito che non avrei trovato, dietro i pesanti cancelli di ferro, degli adulteri, perché le relazioni extraconiugali non potevano essere punite.

Ma sapevo anche che non avrei incontrato i «parassiti» che le corti popolari esiliavano dalla capitale, o gli *stiljagi*, tipo un certo Boris Kurgin che, per sentirsi americano, si faceva chiamare Bob, ballava il rock e si lasciava crescere i capelli sul collo, o disgraziati come il giovane Isaak Brodskij, futuro Premio Nobel, accusato di vagabondaggio perché aveva scritto versi non proprio ortodossi: «Ho voglia di sputare su Mosca», e anche: «Ho pensato a lungo al di là della frontiera». La *Literaturnaja Gazeta* lo definì subito «un pidocchio», poi dovette andare per alcuni anni a lavorare in una fattoria nei pressi di Archangel'sk.

«Ogni due mesi,» mi spiegò il direttore «i prigionieri che si comportano bene, i più rispettosi dei regolamenti e volenterosi nel lavoro sono ammessi a colloquio con i familiari.»

Mi fece entrare in un camerone, uguale a tanti altri che ho visto per il mondo, con una rete che divideva detenuti e visitatori: si vedevano facce rigate dalle lacrime, neppure le mani potevano toccarsi.

«Ogni tre mesi,» continuò il direttore «il bravo detenuto può accogliere in una stanza la moglie, i bambini, la madre e i parenti possono dormire con lui. Si può aggiungere una branda e c'è un fornello a spirito per cucinare.»

Bussammo alla numero 3. Scelsi io. E così conobbi Georgij Alekseevič Alekseev, operaio, colpevole di furto organizzato ai danni della fabbrica. Valore del materiale rubato: 3 rubli (allora 2700 lire), sentenza del tribunale: quattro anni.

Chiesi al direttore: «Qual è la pena per chi ha ucciso?».

«Quindici anni.» Lo aveva già detto Lenin: «La legge è un atto politico».

Nel teatrino l'orchestra dei detenuti provava lo spettacolo per la domenica. Un giovane ladro intonò una canzone. Le parole mi sembravano accorate. L'interprete tradusse: «Ti attendo, vento dell'infanzia, accarezzami ancora i capelli».

Forse qualcosa anche in Russia è cambiato; non la corruzione: se ne parlava già ai tempi di Gogol'.

Il personaggio. C'è adesso a Mosca una signora bella e quasi imponente che dice: «Io so tutto sul crimine». Scrive. Qualcuno l'ha definita «la zarina del giallo». Ha venduto 14 milioni di copie dei suoi diciotto romanzi, che stanno per essere anche il soggetto di una serie televisiva. È la più popolare scrittrice russa.

Si chiama Aleksandra Marinina e per vent'anni è stata funzionario del ministero dell'Interno, ma da studiosa si occupava dell'analisi e della prevenzione del crimine.

Poi ha cominciato a inventare trame, ma sempre partendo da un sentimento: amore o rancore, trascurando la politica, o magari la mafia. Conosce la materia: «Ho parlato con migliaia di delinquenti e letto migliaia di verbali».

Ha un marito, Sergej, ufficiale di polizia che legge per primo i suoi manoscritti da un punto di vista «tecnico». Non ha figli. Qualcuno la considera uno dei venticinque personaggi che contano in Russia, con Eltsin e Putin, per fare qualche esempio, e il patriarca di Mosca. Ha una vita «normale»: le piace ascoltare Verdi e giocare a carte con il computer. Qualche altra notizia: il padre ha lavorato come investigatore a Leningrado e ha fondato la squadra anticrimine del Dipartimento dell'Interno dell'ex Unione Sovietica.

Ha cominciato la carriera di poliziotta come assistente di laboratorio alla scientifica e l'ha lasciata con il grado di tenente colonnello.

I suoi libri (ha esordito nel 1992) sono tradotti in moltissime lingue, anche in Corea, Cina, Giappone, oltre che in Europa. Il suo personaggio è una donna, Anastasija Kamenskaja, implacabile investigatrice; sullo sfondo c'è Mosca dilaniata dalle contraddizioni.

Crede nel futuro del suo Paese: «La Russia è come un bambino che ogni tanto si ammala, si pensa che possa morire, ma poi si riprende. Con la dissoluzione dell'Unione Sovietica molti hanno maturato un senso di umiliazione perché il nostro Paese ha cessato di essere la seconda superpotenza del mondo. Da noi molti hanno l'orgoglio della loro patria. Questo atteggiamento è soprattutto colpa dei media che mettono in luce solo quanto c'è di negativo».

L'incontro. – Signora Marinina, che cosa l'ha spinta a entrare nella polizia?

«Credo si sia trattato di un richiamo genetico, in quanto

mio nonno ha prestato servizio nelle forze dell'ordine e, al termine della carriera, era presidente di un tribunale. Mio padre ha fatto il poliziotto, era ispettore di polizia; mia madre si è sempre occupata, e si occupa tuttora, dei problemi del sistema giudiziario. Io volevo invece diventare critico cinematografico, avevo studiato seriamente per prepararmi a questa attività. Poi, all'improvviso, ho cambiato idea e ho deciso di laurearmi in legge anch'io. Non posso darle un'altra spiegazione: era un fatto di DNA.»

– Ha qualche rimpianto di quel periodo?

«Sì, ma rimpiango solo una cosa: quella stabilità che ci permetteva di programmare la nostra vita e che adesso non abbiamo. Esistevano certe regole del gioco. C'era un sistema al quale dovevamo adeguarci. Sapevamo di dover frequentare con profitto la scuola media superiore per poterci iscrivere successivamente all'università, conseguire una laurea e cominciare a costruire la nostra carriera. Si partiva cioè dal presupposto che se rispetti le norme già nella fase iniziale, e cioè se studi bene, investi tempo, salute e impegno per avere una professione che ti darà il necessario per vivere e per fare carriera, fino alla pensione. Forse è l'unica cosa che rimpiango.»

– Qual è il reato più frequente nel suo Paese?

«A quanto risulta dalle statistiche, il più diffuso è stato, e rimane, il furto.»

– Che parte ha il terrorismo?

«Nella nostra vita occupa un posto ambiguo. Dal punto di vista della pericolosità, si piazzerebbe forse al primo, in quanto un terrorista rappresenta un pericolo molto più grave di un serial killer. In altri termini, ognuno di noi si rende conto che se si comporta correttamente, non frequenta persone sospette, non si dedica ad affari illegali e non si immischia in giochi più grandi di lui, vivrà lontano dalla malavita e morirà nel suo letto.

«Invece non c'è alcuna garanzia che non ti capiti di incontrare un esaltato al quale una voce dal cielo ha ordinato di ucciderti e lo fa. È una cosa orribile.

«Il terrorista è una persona che, senza alcun motivo, toglie la vita a molta gente. In altre parole, puoi condurre una esistenza timorata e onesta, senza fare abuso di alcolici e di droga, senza rubare o partecipare a speculazioni sospette e una sera andare a letto e non svegliarti più la mattina seguente perché la tua casa è stata fatta saltare in aria.

«Dal punto di vista psicologico è terribile, ma secondo la statistica il terrorismo occupa effettivamente un posto di secondo piano.»

– Lei si è occupata soprattutto dell'aspetto scientifico e psicologico del crimine. C'è qualche caso che ricorda in particolare?

«Ne potrei raccontare tantissimi. Il mio interesse, però, è sempre stato rivolto all'analisi della personalità di un delinquente, per poter capire il "perché" ha commesso un reato e perché l'ha fatto proprio in quel modo specifico.

«Facciamo l'esempio più banale: una persona ne uccide un'altra. Ci sono innumerevoli modi per farlo: una rivoltellata, colpi d'ascia, il veleno, impiccarla o strangolarla, gettarla sotto un treno...

«Ma il delinquente ne sceglie *uno solo*, ma perché proprio *quello*? Ed ecco che cominciamo ad analizzare tutta la sua storia, sin dalla più tenera età: quali libri ha letto, che paure lo hanno ossessionato, quali erano i suoi rapporti con i genitori e con i coetanei, e tutto questo per capire il perché dell'insorgere di un particolare problema per risolvere il quale ha scelto questo modo di uccidere. Perché? Ecco un esempio banalissimo: un uomo uccide un suo rivale in amore più fortunato. Ma la gelosia può avere altri sbocchi: si può portare a vivere la donna amata in un'altra città, e lei non vedrà mai più quella persona, oppure fare in modo che il rivale non la frequenti più, oppure dimostrare che lui non è così intelligente e così buono, oppure ci si può impegnare per riconquistare l'amata, o persino convincere il rivale ad andarsene in cambio di una bella somma di denaro; si può ricattarlo o minacciarlo per farlo sparire, o uccidere lui e la donna.

«Ecco, ora può vedere a quante opzioni ci troviamo davanti in un caso di gelosia. Ma il delinquente ne sceglie una sola ed è proprio quella che andiamo ad analizzare. E se ha deciso di uccidere, allora perché l'ha fatto proprio *in questo modo*; ad esempio, perché ha scelto la pistola? O perché ha preferito servirsi del veleno? Proprio di questo mi sono occupata per tanti anni; uno dei casi più clamorosi è stato quello di un uomo molto intelligente che ha commesso diversi reati tutti studiati e pianificati ottimamente, ed è stato molto difficile portarli alla luce. Aveva, però, una particolarità del tutto peculiare: faceva sin dall'inizio piani d'azione molto dettagliati, ma se qualcosa non funzionava, non andava come aveva preventivato, veniva colpito – ricorro alla terminologia psicologica – da "disorganizzazione affettiva del pensiero". Non riusciva più a percepire ciò che gli stava accadendo.

«In altri termini, cominciava a compiere idiozie, l'intelligenza gli veniva meno e combinava tutto nella maniera più sbagliata. E proprio quando un reato che aveva programmato non ha avuto l'andamento che aveva previsto, ha commesso un errore e solo grazie a questo sbaglio è stato arrestato. Era una persona molto intelligente, non un delinquente da strapazzo. Quando è stato condannato e rinchiuso in una colonia penale, il suo comportamento è rimasto identico allo schema di prima. Ha studiato e organizzato tutto scrupolosamente e, se qualcosa non andava, ricominciava a commettere errori e i suoi piani diventavano evidenti per tutti. Infatti, ha tentato la fuga, ha pensato a tutto nei minimi particolari; ha ucciso una guardia, è riuscito a impadronirsi di un camion e ha tentato di sfondare il cancello della colonia penale. Tutto bene: è uscito sulla strada e proprio in quel momento davanti a lui, a una fermata di autobus che si trovava lì vicino, si è fermato un mezzo di linea. E lui non è riuscito a superarlo a tutta velocità: il suo programma non lo prevedeva. Ha frenato, è sceso dal camion e si è messo a scappare a piedi. Ovviamente è stato subito catturato.»

– Lei nella polizia aveva raggiunto il grado di tenente colonnello. È cambiata la classificazione dei delitti da quando, in passato, il più grave era quello contro l'ideologia?

«Sì, certo. I crimini contro l'ideologia oggi non esistono. Il Codice Penale non contempla più il concetto di "ideologia". L'unico reato ideologico che è rimasto nel Codice è l'istigazione all'odio nazionale e alla guerra. Ma credo che in questi casi si tratti di delitti contro l'umanità.»

– Le colonie penali di oggi hanno qualcosa che assomiglia al gulag?

«Sì, purtroppo ce l'hanno. Perché le colonie nelle quali si

sconta la pena sono strutturate secondo il cosiddetto "principio di reparti". Cioè, in un "reparto" cento-centoventi detenuti dormono insieme in una baracca, vanno insieme a lavorare, tornano dal lavoro insieme, possono passare il loro tempo libero in una cosiddetta "zona locale" che circonda il dormitorio ed è delimitata, a sua volta, da un'altra recinzione di filo spinato. E solo all'interno di questo spazio possono praticare un po' di sport, rilassarsi, passeggiare. Ovviamente, ciò assomiglia moltissimo al gulag e non ha niente in comune con i penitenziari occidentali dove due o tre detenuti al massimo vengono alloggiati in una cella.»

– Che cosa l'ha portata a scrivere?

«Prima di tutto il rancore. Rancore per i miei superiori i quali, secondo me, si comportavano poco correttamente nei confronti degli studiosi, specialmente se erano donne.

«In secondo luogo, in quel momento mi sembrava di conoscere già abbastanza la delinquenza e l'attività delle forze dell'ordine nel nostro Paese per poter provare a raccontarlo al grande pubblico perché, fino ad allora, avevo scritto solo opere scientifiche e volevo fare qualcosa di diverso e così ho provato.»

– Che cosa le ha dato il successo?

«L'indipendenza. Per me è la cosa più importante. Non ho più sopra la testa dirigenti che mi possano impartire ordini e costringere a fare cose che non voglio.»

– A quale lavoro sta pensando adesso?

«Ho appena terminato il mio ventunesimo romanzo che si intitola *Gli dei ridono* come uno dei racconti più famosi di Jack London. E adesso sto già pensando a un libro che comincerò a scrivere quest'autunno.»

– C'è anche una mafia russa. Che cosa ha di diverso da quella di altri Paesi?

«In ogni Paese la mafia ha caratteristiche particolari. Se prendiamo come punto di riferimento, ad esempio, la mafia italiana riscontro due differenze essenziali.

«La mafia russa è molto più giovane e, come qualsiasi adolescente paragonato a un adulto è molto più crudele, rozza, aggressiva. Non scende a compromessi, preferisce subito impugnare il coltello e alzare il pugno cercando di colpire l'avversario.

«La seconda differenza consiste nel fatto che la mafia italiana è nata ed è andata formandosi secondo un principio familiare. Membri di una famiglia e parenti che formano un clan.

«La mafia russa non è imperniata su rapporti di parentela e si basa generalmente su due princìpi: quello territoriale, e cioè individui originari di una città o di una regione; oppure quello "di produzione": cioè i gruppi che durante il regime sovietico manovravano clandestinamente i capitali sommersi. Da quando è stata autorizzata l'iniziativa privata, e i capitali sommersi sono tornati alla luce, queste due strutture lavorano insieme.»

– Le dispiace farmi un ritrattino del vostro mafioso. Che tipo è, che cosa fa?

«I nostri mafiosi fanno le cose più diverse. C'è quello che da noi viene definito "piccolo mafioso": si tratta di un individuo che si è messo in condizione di controllare tutto il business che si svolge in una piccola zona di una città. Sceglie un quartiere nel quale abita e taglieggia tutti gli imprenditori che operano su quel territorio. In questo caso si tratta di una persona piuttosto rozza, che ricorre alla violenza e ha ai suoi ordini una squadra di "teste rasate". È un termine molto diffuso nel nostro Paese in quanto chi pratica le arti marziali preferisce avere i capelli cortissimi per non essere afferrato dall'avversario. È lo stesso principio in base al quale tutti i cani da combattimento sono a pelo raso. Allora, il "piccolo mafioso" ricorre a quella banda di ragazzi che vanno a visitare negozi e piccole imprese e pretendono il "pizzo". Si mantiene estraneo alla politica, si interessa esclusivamente del denaro che deve raccogliere mentre l'altra sua principale preoccupazione è quella di farsi temere, di esercitare il proprio potere, la propria autorità su quel territorio ben definito e impedire che un altro possa cercare di fargli le scarpe.

«Al sommo della gerarchia incontriamo, invece, un'altra figura, una persona che controlla, o meglio vuole controllare un settore industriale. Ad esempio, l'estrazione di nichel. Ovviamente, è un genere di mafioso completamente diverso. È molto vicino al potere, si interessa di politica ed è persino integrato nella gestione della cosa pubblica. Quasi sempre si tratta di una persona di notevoli doti intellettuali che ha avuto un passato di un certo rilievo nell'Urss, che ha fatto una buona esperienza nell'àmbito della nomenclatura e della gestione aziendale. E se il "piccolo mafioso" che abbiamo già descritto ha un'età di ventotto-trent'anni, allora il "grande mafioso" è generalmente tra i quarantacinque e cinquanta. Proviene di regola da una buona famiglia e se ne è formata una con una moglie giovane e molti bambini, addirittura sei in certi casi. Lei è molto bella, figura da top model: una donna da esibire con orgoglio in pubblico.»

– Lei ha detto che se la vostra mafia non arriverà al livello di quella italiana commetterà crudeltà inimmaginabili. Perché?

«È una mafia giovane e sciocca. Che non sa scendere a compromessi, risolvere i conflitti attraverso trattative. Sono ancora abituati a impugnare subito un coltello o il Kalashnikov. Se raggiungerà, invece, il livello della mafia italiana, allora c'è una buona prospettiva che divenga meno crudele, più matura avendo avuto il tempo di imparare qualcosa. E non considererà più la violenza e l'assassinio come i mezzi principali cui fare ricorso, ma cercherà di raggiungere qualche accordo e di risolvere i conflitti pacificamente, proprio quello che attualmente non sa fare.»

– Dov'è che ha attecchito di più: a Mosca, a San Pietroburgo o nella provincia?

«A Mosca.»

– Ci sono legami tra le organizzazioni mafiose e la politica?

«Sì. È un fatto noto a tutti, ne scrivono perfino i nostri giornali.»

– Lei è una lettrice di gialli?

« Sì; li leggo con piacere sin da quando ero bambina.»

– Ha qualche esempio, qualche modello?

«Georges Simenon e Sidney Sheldon. Se fosse possibile fonderli assieme, cioè scrivere un giallo incentrato su un protagonista umano e buono, come il commissario Maigret coinvolto in una storia d'amore indiavolata, ecco se riuscissi a farlo, allora penserei di avere coronato il mio sogno.»

– La protagonista dei suoi romanzi si chiama Anastasija Kamenskaja. Che donna è?

«Mi assomiglia, ma è più capace e sa fare di più. Si è laureata in giurisprudenza e dopo è stata assunta presso la Direzione centrale degli Affari Interni di Mosca nel servizio investigativo e nella sezione omicidi in qualità di analista.

«È chiaro che una giovane donna che ha appena terminato gli studi non è in grado di fare il detective e non deve farlo. Per poter essere ispettore bisogna avere una formazione specifica e acquisire cognizioni che non vengono insegnate all'università, ma nelle accademie di polizia. Lei non aveva quel tipo di formazione e nessuno pensava che potesse diventare un funzionario valido. È stata assunta esclusivamente per analizzare gli omicidi che hanno avuto luogo a Mosca e aiutare gli investigatori veri e propri, spiegare le tendenze criminali e le loro evoluzioni; quali nuove metodologie di omicidi stanno nascendo.

«Doveva cioè fornire informazioni. A mano a mano, partecipando in qualche modo all'attività dei colleghi, anche lei è diventata un "ispettore" abbastanza valido. E adesso, che ha già compiuto trentanove anni, le viene persino affidato il compito di guidare un gruppo di investigatori incaricati di indagare su un reato molto grave e pericoloso. Ed è questo che racconto nel mio ultimo romanzo.»

– Anche il suo personaggio, come lei, fuma molto, beve caffè, è pigra e non ama le faccende domestiche, trascura l'aspetto fisico e la vita privata. Rispecchia la donna russa di oggi?

«Soltanto parzialmente. Ma le donne che assomigliano alla mia protagonista stanno diventando di giorno in giorno sempre più numerose. Ho inventato Anastasija nel 1992 e allora ce n'erano forse soltanto due in tutto il Paese: Anastasija e la sottoscritta. Non ce n'erano altre. Ma, a partire dal 1995 e 1996, sto ricevendo sempre più lettere di donne che mi scrivono: "Anastasija Kamenskaja sono io. Come ha fatto a indovinare il mio carattere, la mia psicologia e la mia vita?".

«È proprio questo tipo di donna che sta gradualmente diffondendosi in Russia.»

– Da noi si parla tanto di fascino slavo. C'è, e se c'è, come si manifesta?

«A dire il vero, non so che cos'è. Ogni tanto, invece, mi viene chiesto che cos'è il "misterioso animo russo". Il mio giudizio – molto controverso e sicuramente sbagliato – è questo.

«Il fascino e il mistero che avvolgono l'animo russo provengono da una fusione di tre componenti. Da un lato si tratta, ovviamente, di un'influenza culturale dell'Occidente in quanto tutti noi, sin dall'infanzia, leggiamo i libri degli scrittori che sono nati e hanno scritto le loro opere nell'Europa occidentale. Tutti noi, ad esempio, studiamo la pittura nelle grandi tele dei fiamminghi, ascoltiamo la vostra musica. L'influenza della cultura europea in Russia, e non solo nella Russia centrale, ma anche nel più sperduto villaggio siberiano è molto forte e viene vissuta sin dalla più tenera età.

«In secondo luogo, nel nostro sangue si fa sentire una forte componente asiatica. Tutti sanno che per oltre due secoli abbiamo subìto il giogo mongolo-tartaro e anche questo ci ha profondamente influenzati. Inoltre il territorio e la cultura dell'Asia occupano un posto molto importante nella storia del nostro Paese.

«Infine, c'è una componente puramente slava. Di questi "russich" che si stabilivano tradizionalmente nella zona centrale e occidentale della Russia attuale: Ruš di Vladimir, Ruš di Kiev, quelli di Jaroslavl'. E, ripeto, la fusione del genio slavo con quello asiatico e con l'apporto della cultura occidentale ha creato quell'impensabile "insalata". Ed è forse da qui che proviene il mistero dell'animo russo e la sua assoluta imprevedibilità.

«Una persona può essere generosa e buona alla slava e, allo stesso tempo, asiaticamente furba e capziosa. Può essere estremamente crudele nei confronti dei parenti più prossimi, genitori compresi: non dargli soldi, trascurarli. E questo è assolutamente inconcepibile in Asia, dove vige un vero e proprio culto del padre e della madre e il rispetto nei confronti delle persone anziane. E da dove proviene allora questa componente misteriosa dell'animo russo, l'assoluta mancanza di rispetto nei confronti dei vecchi e dei genitori, la volontà di disfarsi di loro, di non pensare a loro e di non prendersene cura? E il giorno dopo questa stessa persona è capace di offrire la metà del suo patrimonio a un uomo che ha appena conosciuto come un atto di liberalità: "Ecco, ti aiuto. Metti in piedi un'impresa tua".

«Tutto ciò a un occidentale appare inverosimile. Molti si

irritano per questa imprevedibilità, mentre altri possono trovarla simpatica, persino affascinante.»

– Qual è la più bella storia d'amore che conosce?

«La mia.»

– In che cosa è mutata la vita della gente rispetto al passato?

«È cambiata profondamente proprio perché è diventata molto meno prevedibile. Noi dipendiamo in maniera esagerata da leggi che non sono più stabili. Durante la presidenza Eltsin, anch'io, pur essendo molto lontana dalla politica, avevo preso l'abitudine di sentire i telegiornali due, tre volte al giorno, in quanto sapevo che da quell'uomo potevamo aspettarci di tutto. E in realtà abbiamo tante volte assistito a mosse impreviste e proprio nei momenti più inopportuni. Un esempio per tutti: il rimpasto dei primi ministri che venivano rimossi per motivi sconosciuti. Anche in questo caso c'è lo stesso elemento dell'imprevedibilità: puoi essere persona onesta, non rubare, eseguire con impegno gli obblighi di dirigente e una bella mattina alzarti ed essere informato che sei stato destituito. La gente non sa che cosa le potrà capitare domani e allora cerca di fare quanto più può oggi. Da un lato, è un fattore positivo, ma ce ne è anche uno negativo, in quanto si tende a rubare, a guadagnare il più possibile perché non ci è dato prevedere se il giorno dopo sarà varata una nuova legge sulle tasse, in base alla quale non si dovrà versare più il trenta per cento dei redditi personali, ma il cinquanta.»

– Oggi un russo cosa teme, di che cosa ha paura?

«Glielo ho appena detto. Un russo ha paura di una cosa sola: che domani possa succedere qualcosa. Un russo ha paura dell'instabilità. Questa è una preoccupazione terribile.»

– Si ha l'impressione che la corruzione dilaghi. Perfino la famiglia dell'ex presidente Eltsin, se non sbaglio, ha qualche problema giudiziario.

«Ne parlano i giornali, ma non so se è vero. Per dirla tutta, io non ci credo. So molto bene che la stampa dice spesso bugie. Certo, abbiamo moltissimi giornalisti onesti che cercano di raccontare i fatti che vengono tenuti nascosti, ma ce ne sono altrettanti che pensano solamente ad aumentare le vendite. E per raggiungere tale scopo serve un bel titolo e quella che noi definiamo "frittata di fatti". Cioè materiale scandalistico che non ha niente a che vedere con la realtà. Quanto alla corruzione, già l'anno scorso, o forse un anno prima, ha raggiunto una tale portata che non ha altri spazi per espandersi. Almeno per il momento...»

– Cosa scoprirebbe oggi l'ispettore di Gogol'?

«Oggi non scoprirebbe niente. Non farebbe neppure in tempo a uscire dall'ufficio che verrebbe avvicinato da un uomo, e forse non da uno solo, che gli consegnerebbe una grande busta di documenti e sarebbe invitato a firmarli, oppure una valigetta piena di soldi. E con questo finirebbe tutto. Oggi, l'ispettore non riuscirebbe nemmeno a raggiungere un governatore. Tutti i suoi problemi verrebbero risolti molto tempo prima.»

– Un classico della vostra letteratura è *Delitto e castigo*. Per lei, che si occupa della psicologia del delinquente, Raskolnikov è cambiato?

«No. Raskolnikov non è cambiato perché anche all'epoca di Dostoevskij quel genere di personalità non era affatto diffuso. È stato un singolo, un individuo che ha deciso di provare se era capace di compiere un omicidio. *"Sono vigliacco che trema, e ho anch'io qualche diritto?"*. Solo per questo motivo è andato a uccidere la vecchia usuraia. Non aveva bisogno di quel denaro e non voleva spargere del sangue. Voleva soltanto mettersi alla prova. In realtà oggi in Russia, come anche venti o trent'anni fa, ce ne sono tanti di questi Raskolnikov, solo che agivano per motivazioni semplicemente teppistiche. È una situazione che non esisteva ancora all'epoca di Dostoevskij, e lui invece ha costruito su questa base un'intera filosofia, ha scritto un romanzo geniale che provoca anche compassione per Raskolnikov, anche se in realtà si tratta soltanto di un fenomeno che nel mondo moderno viene definito teppismo. Cioè, vado a uccidere una persona che non conosco, che non mi ha fatto niente di male, con la quale non ho mai avuto niente a che fare, ma semplicemente per provare di esserne capace. Di tali delitti ce ne sono stati in Russia moltissimi e ce ne saranno ancora in quanto l'assassino è un individuo dalla psicologia e dalla personalità immatura, un personaggio sempre presente in qualsiasi società.»

– C'è qualcuno che rimpiange l'Unione Sovietica?

«Sì. Ce ne sono molti in Russia. Non posso affermare che siano la maggioranza, comunque sono numerosi. Si tratta di solito di persone appartenenti alla terza età, sessantenni e settantenni. E ciò è comprensibile. La loro vita è trascorsa all'epoca dell'Unione Sovietica, hanno lavorato onestamente e credevano sinceramente nell'ideologia comunista, nel fatto che la Rivoluzione era stata un avvenimento positivo, che la guerra civile è stata giusta, che Stalin era quello che gli avevano raccontato a scuola. Adesso per loro è molto difficile rassegnarsi e accettare che tutto ciò fu un grande errore. Li possiamo capire e non possiamo esigere che lo ammettano.»

– L'orgoglio dei tempi di Gagarin se ne è andato?

«In qualche momento... Adesso, mi pare, sta profilandosi una rinascita. Si è diffuso, infatti, il concetto di "superartigiano russo" e ha ispirato il romanzo dello scrittore russo Leskov intitolato *Levša*. Questo fenomeno dei "superartigiani russi" è più interessante del mistero che circonda l'animo russo. È gente veramente straordinaria, capace di sviluppare *know-how* che neppure il Pentagono se li sogna.

«Le faccio un esempio recente: tre giovanotti, età che va dai diciannove ai ventitré anni, hanno inventato uno strumento fantastico che permette di scansionare qualsiasi conversazione telefonica, sia dai cellulari sia da quelli fissi. Per quanto ne so, tutte le agenzie di spionaggio del mondo stanno cercando di realizzare una cosa del genere, ma ci sono riusciti proprio questi ragazzi. Alcuni tecnici e matematici geniali hanno costruito lo strumento e lo stanno vendendo a prezzi molto elevati a chi ha interesse a intercettare le telefonate dei partner o dei concorrenti d'affari. E questi apparecchi non esistono in altre nazioni. Sta tornando il tempo dell'orgoglio per i nostri scienziati e studiosi. E per quanto riguarda l'arte, il balletto russo è per noi motivo di continua fierezza.»

– Quali sono i valori in cui credono i giovani russi?

«Credono nel denaro, nel business e in nient'altro. Non mi sembra che credano nell'amore. Almeno questa generazione.»

– Il dollaro, che una volta era il simbolo del bieco capitalismo, oggi come è visto?

«Come l'unica cosa stabile che esiste nella nostra vita. Moltissima gente, la stragrande maggioranza direi, cerca di convertire in dollari tutti i rubli che può. Avendo a casa, in tasca o nel portafogli un po' di dollari, si sentono più sicuri.»

– Lei ha affermato: «La gente si fida sempre di meno degli amici, dei parenti, del governo». Perché?

«È difficile rispondere. Perché ha poca fiducia nel governo, è ovvio. Come dicevo prima, è imprevedibile nelle sue azioni ed è spesso composto da persone scelte in base a chissà quali criteri. La gente non lo conosce. In altre parole, il capo avrà senz'altro i suoi motivi: sa chi sono, può valutare le loro capacità di lavoro. Ma la gente non sa e non capisce perché un ministro è stato rimosso e gli è subentrato un altro. E se non lo capisce, non può fidarsi di lui.

«Poi l'instabilità finanziaria e la grave situazione che si è venuta a creare nel nostro Paese hanno provocato la perdita di fiducia tra le persone. Faccio un piccolo esempio, ma molto significativo. Ai tempi dell'Unione Sovietica c'era tra la gente l'usanza molto diffusa di chiedersi prestiti. Si trattava di piccole somme: "Fino a quando non prendo lo stipendio" o "Devo fare un acquisto proprio oggi. Non ho contanti in tasca, ho tutto a casa, ma domani te li restituisco".

«Non avevamo le carte di credito, tutto veniva pagato in contanti e ci si faceva continuamente piccoli favori. Non si trattava, come ho detto, di grosse somme ed era un'abitudine molto diffusa. E il debito veniva sempre restituito: stesso importo.

«Parlare di interessi su quei pochi rubli prestati era impensabile. Non sapevamo neanche che fosse possibile. Avevamo senz'altro letto delle pratiche che regnano in Occidente: se chiedi i soldi a una banca, allora li restituisci con gli interessi. Ma era una cosa estranea alla nostra mentalità; poi l'economia è cambiata radicalmente e oggi anche i parenti e gli amici trattano subito gli interessi. Cioè si comportano come partner d'affari. E questo, è ovvio, incrina fortemente il calore e la fiducia nei rapporti umani.»

– La democrazia ha messo in luce tanti scandali. Quella sovietica era una società più onesta?

«No, solo che allora non se ne poteva non solo scrivere, ma neppure parlare. Quanto all'onestà, ce ne era nella stessa proporzione attuale.»

– Chi è un ricco?

«Forse possono essere giudicati ricchi i politici potenti, i banchieri. Agli occhi di un insegnante della scuola media, anch'io posso sembrare ricca. Tutto dipende dal punto di vista. Generalmente, nel nostro Paese, viene considerata ricca una persona che, oltre a un appartamento in città, ha anche una bella dacia in campagna, che può permettersi un'automobile costosa e di andare in vacanza all'estero al mare e alloggiare in alberghi di lusso ogni volta che lo desidera. Una persona molto ricca deve possedere una casa in campagna non solo nella regione di Mosca o di San Pietroburgo, ma anche in due o tre delle più prestigiose località balneari dell'Europa occidentale. E i più facoltosi sono quelli che si trasferiscono in quelle ville con aerei personali.»

– E chi sono i poveri, oggi?

«I poveri di oggi sono i funzionari pubblici impiegati nei settori più importanti: sono i medici, sono i docenti e le maestre degli istituti prescolastici, i bibliotecari, gli impiegati dei musei. Cioè tutto il settore della medicina, dell'istruzione e della cultura, che è indispensabile per la rinascita e la conservazione della coscienza nazionale. Lo stipendio mensile di un impiegato statale è di circa trenta-quaranta dollari e, se non fanno qualche lavoretto extra, iniezioni a domicilio, donna delle pulizie, bidello, dovranno proprio rassegnarsi a morire di fame. Non è possibile pagare l'affitto e dare da mangiare ai figli. Non parlo dei pensionati, i cui redditi sono ancora più bassi: sui venti-venticinque dollari. Non bastano per vivere, perché più anziana è la persona, più soldi servono per l'assistenza medica. E la pensione non basta neanche per comprare le medicine.»

– L'Occidente che influenza ha avuto o ha sulla vostra vita?

«Molto grande, come le ho già accennato. Ci siamo formati con la cultura occidentale. Infatti, cominciamo a leggere Dickens prima ancora di Tolstoj, i gialli di Conan Doyle prima di Dostoevskij. Ascoltiamo la musica di Čajkovskij nella stessa misura di quella di Beethoven e di Verdi. Visitiamo il Museo Russo, l'Ermitage e la Galleria Tretjakov e ammiriamo le riproduzioni o gli originali di Repin e di Serov come quelli di Rembrandt, Raffaello e Giotto. Sin dall'infanzia assorbiamo la cultura occidentale.»

– Chi è Solženicyn per il lettore russo?

«È uno scrittore che in anni oscuri ha avuto il coraggio di dire quello che gli altri non osavano. Al tempo del potere sovietico il nome di Solženicyn passava di bocca in bocca, i suoi libri erano vietati e allora venivano diffusi clandestinamente con il cosiddetto *samizdat* e tutti noi lo leggevamo e ammiravamo il suo coraggio civile. Ma adesso le cose sono cambiate, perché tutto ciò che scriveva Solženicyn, rischiando la vita e la libertà, tutto questo nell'arco degli ultimi otto o nove anni viene discusso pubblicamente, ne scrivono i giornali, se ne parla in tv, non è più un segreto di Stato.

«E così la grande impresa civile di Solženicyn viene purtroppo dimenticata. Si scorda che, oltre a essere un uomo coraggioso e onesto, è anche un grande scrittore. In altre parole, i suoi libri devono essere letti non solo perché sono antisovietici, ma perché sono splendide opere letterarie. Oggi Solženicyn è ammirato per il coraggio che ha dimostrato, ma come scrittore non è molto apprezzato.»

– E che cosa ne è stato di Evtušenko?

«Non posso darle una risposta soddisfacente. Mi ricordo benissimo quel periodo, quando avevo nella mia biblioteca di casa tutti i libri di Evtušenko e la raccolta completa delle sue poesie. Molte le sapevo a memoria. I miei genitori lo adoravano. E dopo, a un tratto, tutto è svanito. Non so persino che cosa stia facendo. Se continua a scrivere poesie o si dedica a qualche altra attività creativa. Per me, Evtušenko rimane sempre il poeta che adoravo negli anni Sessanta e Settanta, che leggevo di continuo e che potevo recitare a memoria per ore. Non mi interessa neanche sapere che cosa gli sia successo. Per me è rimasto quello di allora.»

– Pasternák ha avuto finalmente giustizia?

«Sì. Senza dubbio.»

– Chi sono i nuovi autori che già si distinguono?

«I cosiddetti avanguardisti: Vladimir Sorokin e Viktor Pelevin. So che vengono tradotti e pubblicati con grande interesse all'estero, e sono di moda anche in Russia. Sono poco comprensibili. E tutto ciò che non è comprensibile sa di élite. Non tutti lo possono capire, non è indirizzato al "popolo", ma a un'élite intellettuale. Ed è per questo che sono di moda. Non sono sicura che sia giusto, ma sono questi i nomi emergenti.»

– Come vede la Russia attuale?

«Se mi è permesso un paragone di carattere zoologico, come un cagnolino convalescente. I cuccioli sono affetti da malattie che ostacolano i loro movimenti, non sanno ancora camminare. Sono molto piccoli. Il cucciolo non è ancora in grado di curarsi da sé. Non vuole prendere la medicina che gli danno i suoi padroni perché è amara, e non capisce che deve mandarla giù. E allora rimane sdraiato, senza forze, disperato, non riuscendo a raggiungere neanche la sua scodella che solo grazie agli enormi sforzi dei padroni gli viene finalmente somministrata e allora, piano piano, comincia a star meglio. Ecco: la Russia di oggi è un cucciolo convalescente.»

GÜNTER GRASS

GERMANIA, UN AMORE
GIOVANILE

Il luogo. Quando ci fu da scegliere la lingua, decisi: tedesco. Forse perché avevo uno zio che era andato a coltivare rose ad Hattersheim, sul Meno, ed era diventato amico della padrona delle serre: una biondona, e io avevo in mente i film dell'Ufa, le cosce di Marlene Dietrich in *Angelo azzurro,* seduta su un barile di birra che cantava: «Sono piena d'amore dalla testa ai piedi».

Era il tempo della scoperta, per merito di Elio Vittorini, della letteratura americana: e una volta ebbi la fortuna di accompagnare in giro per Milano William Faulkner, che mi piacque tanto perché a un critico che gli aveva domandato che cosa gli serviva per scrivere rispose: «Un po' di pace e una cassa di whiskey».

E poi ricevetti le confidenze della bella ragazza che aveva ispirato a Hemingway addirittura un romanzo: *Di là dal fiume e tra gli alberi.*

Ma si guardava anche, con giusta attenzione, e non solo per la politica, a quello che si stampava nel Reich, e a me piacevano l'Hans Fallada di *E adesso, pover'uomo?* e il Thomas Mann dei *Buddenbrook,* e andai poi a cercare ad Amburgo le ville quiete sull'Elba, nascoste tra i faggi e i larici, abitate sempre dagli stessi armatori: potete passeggiare lungo le rive dell'Alster e guardare i cigni placidi e i rapidi gabbiani, e potete sedervi sulle panchine che portano una targhetta con il nome del donatore.

C'era un romanziere che amavo molto, Ernst Wiechert, un solitario, un incompreso. Era stato provveditore agli studi nella città di Berlino e, quando i nazisti salirono al potere, disse: «Non voglio trattare con questa gente, voglio rimanere solo».

«La vergogna del Reich» aveva deciso «non sarà la mia vergogna.»

Quando il pastore Niemöller, che predicava contro la violenza, venne imprigionato e la sua famiglia, rimasta senza sostegno, non aveva di che vivere, il taciturno Wiechert rifiutò di versare il suo contributo al soccorso invernale del partito e mandò del denaro alla moglie del ribelle.

Attorno a lui c'era tanta viltà, tanta miseria: tutti si erano adattati al volere del Führer e lo servivano con devozione: «Servi sulle cattedre universitarie, sui seggi dei tribunali, dietro l'aratro che squarcia le zolle, al tavolo dei poeti» scrisse, e il tradimento del suo popolo lo riempì di sgomento.

Lo mandarono in carcere, gli presero le impronte digitali, fu tra i delinquenti comuni, con i perseguitati politici, conobbe ogni genere di umiliazioni.

Poi lo condussero a Buchenwald e da allora non poté più vedere, senza orrore, una foresta di faggi. Lo trasferirono a Heltesberg e gli diedero un numero: 7180 rosso. Voleva dire «politico». C'erano i neri, renitenti al lavoro, e i verdi, criminali di professione, e i rosa, puniti per inconfessabili debolezze (allora), e i numeri gialli per gli ebrei.

Il filo reticolato circondava anche il colle che aveva visto le passeggiate di Goethe e di Carlotta von Stein, ed era ancora carica di fronde la quercia che aveva ascoltato i teneri discorsi del poeta. Sotto lo sguardo di Wiechert si distendeva la Turingia, pascoli e case dai tetti spioventi, e campanili sottili, strade bianche e meli fioriti.

Wiechert accettò la sua parte senza incertezze e senza pentimenti: «Bisognava stare lì,» scrisse poi «come una pietra in mezzo al fango. Il fango sarebbe passato ma la pietra sarebbe rimasta».

Tornò a Wolfratshausen: debole, malato. Il vecchio cane lupo gli corse incontro scodinzolando, la moglie e la figlia lo abbracciarono senza lacrime. Fece un lungo giro sul prato, salì nell'altana dove si ritirava a lavorare e rimise in ordine i suoi quaderni. Goebbels gli aveva detto: «Se sentiremo ancora una sua parola la annienteremo nello spirito e nel corpo».

Ricominciò a scrivere e la moglie nascondeva le pagine nella serra, tra le pianticelle. In lui non era rimasto alcun odio. Qualche volta saliva a trovarlo Wilhelm Kempf, si metteva al pianoforte e suonava anche per un giorno, e Wiechert era felice.

Qualche volta arrivavano Hans Carossa, o Käthe Kollwitz, la grande scultrice: gli portò in dono una sua opera intitolata *Pietas*. Rappresentava la madre di un ragazzo morto (Käthe aveva perso un figlio in guerra): era una donna immensa, stringeva un giovane uomo al seno come volesse ridargli la vita.

Wiechert fu ancora solo, sempre più solo. «Soltanto l'individuo» pensava «può salvare il mondo.» Non aveva alcuna fiducia nelle masse.

La moglie lo portò in Svizzera, in una casetta dalle grandi vetrate, così poteva vedere i tramonti, gli alberi, gli stormi di uccelli neri che volavano bassi.

«Con Dio, con Dio» dicevano i forzati di Dostoevskij anelando alla liberazione. Erano parole che gli erano tornate nel cuore a Buchenwald e che ripeteva nell'ora estrema. Solo era vissuto, solo moriva. Mi disse la signora Paulmarie, la vedova: «Pochi lo seguono oggi, come pochi furono ieri con lui».

Confesso che ho incontrato molte signore orbate del coniuge: le legittime eredi (oltre che di eventuali diritti d'autore), nonché testimoni plausibili di grandi storie. Ad esempio, Helene Weigel vedova Brecht; Günter Grass l'aveva appena attaccato con un dramma: *I plebei provano la rivolta*. Sosteneva che il grande intellettuale rivoluzionario non riusciva sempre a conciliare le sconvolgenti teorie che predicava nei copioni con gli avvenimenti che accadevano sulla piazza.

Rispondeva Bertolt: «Come può discutere il tiglio con chi gli rimprovera di essere una quercia?».

Ed Helene Weigel, con sdegno: «Il problema è trascurabile, direi volgare. Non ha per me alcun interesse, alcuna importanza».

Dicevano che Günter Grass rappresentava la liquidazione del passato, Martin Walser l'analisi del presente e Uwe Johnson l'annuncio dell'avvenire. Che per lui non c'è stato: si è ucciso.

Lo conobbi quando Berlino era divisa in due: lui viveva a Friedenau, un quartiere fuori dall'isteria di quei giorni, abitato da pensionati e da piccoli borghesi, che la domenica lavavano la macchina in strada o andavano ad ascoltare il sermone.

Mi raccontò: «Sono uscito dalla Chiesa evangelica perché

si è rifiutata di opporsi al riarmo atomico. La religione stimola anche Böll e Grass che sono cattolici e non possono dimenticarlo».

Grass suscitava polemiche: «Io sono un revisionista,» diceva «bisogna rimettere in discussione tutto ciò che esiste. Così il socialismo non si sclerotizza».

Faceva comizi e alla fine gridava: «Metti il Willy nel motore». Stava con Brandt, borgomastro di Berlino e futuro cancelliere, che proponeva l'Ostpolitik, l'apertura al mondo di oltrecortina. E attaccava i giornalisti che lavoravano per il potente editore Axel Springer definendoli «servi».

C'è un conformismo tedesco, un ossequio al potere che è nella tradizione. Ci sono università intitolate, giustamente, a Goethe o a Gutenberg, nomi non sospetti, ma a Düsseldorf, sua città natale, a quanto mi risulta nessuno è riuscito a imporre che anche Heinrich Heine sia onorato negli edifici delle varie facoltà.

Heine non era conformista; ebreo, amico e parente di Marx, buon conoscitore di Engels: una «testa calda». E un cattivo esempio per i giovani: come i Brecht, i Georg Büchner, per arrivare a Günter Grass o a quel «cane rosso» di Heinrich Böll, poi Premio Nobel, che difese anche le illusioni e la disperata follia del gruppo Baader-Meinhof, gesto che gli scatenò contro i giornali di Springer. Le idee nuove fanno paura in un Paese che ha subìto tanti sconvolgimenti e cerca sempre la sicurezza.

Günter Grass ha raccontato «questo secolo pieno di errori smisurati», e ha riconosciuto che sono stati proprio i suoi compatrioti «a determinare gli eventi della sua prima metà, e in maniera veramente terribile».

Grass racconta le vicende del tempo che gli è toccato di vivere, non solo quelle politiche, ma il costume, la piccola cronaca: dai cappelli di moda all'inizio del secolo, quelli di paglia che sfoggiavano Maurice Chevalier e Odoardo Spadaro, due protagonisti della canzone e del varietà, alla partita di calcio.

Il personaggio. È nato nel 1927 a Danzica, una città che prima della guerra non faceva parte del Reich. I suoi genitori gestivano un negozio di generi coloniali. Tedeschi e polacchi, cattolici, protestanti ed ebrei convivevano pacificamente.

Nel 1944 Günter viene chiamato alle armi e non ha dubbi o problemi di coscienza: «Fino al 1945» ha detto «ho pensato che la nostra fosse una guerra giusta».

Ha alle spalle qualche dura esperienza: ha lavorato come scalpellino, ma già da adolescente aveva deciso che sarebbe stato un artista, pittore o scultore. Frequenta l'Accademia di Belle Arti e nel 1953 si trasferisce a Berlino: e da lì inizia la sua carriera letteraria.

Il romanzo che gli dà prestigio internazionale è *Il tamburo di latta* (1959).

Il protagonista è Oskar Matzerah, un bambino che a tre anni decide di non crescere più, ma è «tre volte più furbo degli adulti». Finisce in un manicomio, accusato dell'omicidio di una infermiera.

Il tamburo è lo strumento della sua protesta: suonandolo fa perdere la marzialità al «passo dell'oca» di un corteo nazista. Grass ha scritto di sé: «Sono un pessimista innamorato della vita». E ancora: «La storia non serve a nulla... Si impara ben poco e si ripetono le stesse sciocchezze».

È nonno.

L'incontro. Gli ho parlato a Lubecca: prima nel suo studio, poi nel bar che frequenta, dove tutti lo conoscono e dove si ferma di regola quando ha finito i suoi «compiti». Ci sono la casa e la scuola che frequentò e dove furono alunni anche Thomas ed Heinrich Mann e l'autore della *Montagna incantata*, come Günter, non arrivò alla licenza di maturità.

– Lei ha dedicato un libro al XX secolo. Che cosa ha portato agli uomini, oltre alle guerre?

«Tanto progresso, basti pensare anche solo alla medicina e ai trapianti, ma ci sono ancora troppe questioni irrisolte. Abbiamo creduto che quello appena trascorso, dopo l'esperienza delle due guerre, ci avrebbe assicurato la pace una volta per tutte, ma il Kosovo, per esempio, ci dimostra che è stata un'illusione.

«Del resto, il ritorno dei nazionalismi e la stessa globalizzazione hanno effetti apparentemente nuovi, ma in realtà di stampo antico. Se penso alla Germania, dico che dieci anni dopo la caduta del Muro ci sono ancora grandi problemi in materia di equità sociale tra Est e Ovest che non hanno trovato una soluzione. Esistono una Germania di prima classe e una di seconda. Si tenta di trovare in qualche modo una soluzione, si dice che con il tempo si arriverà a un livellamento, ma di fatto esistono differenze ancora molto forti. Questo stato di cose può essere paragonato alla situazione tra il Nord e il Sud dell'Italia, dove di fatto esiste una conflittualità tra le due parti. E in Germania va peggiorando.»

– Il Novecento è stato segnato da tre ideologie: fascismo, nazismo, comunismo. Cos'hanno lasciato?

«Quello che è rimasto ha prodotto il capitalismo sotto forma di ideologia nata dai rimasugli di quelle tre storiche concezioni del mondo. Diventa sempre più forte, almeno quello europeo, diverso da Paese a Paese, ma con lo stesso pesante controllo sulla società. Ha generato atteggiamenti neoliberisti che ricordano comportamenti del secolo scorso.

«Non dimentichiamo, poi, che il capitalismo e l'economia di mercato si fondano su veri e propri dogmi, esattamente come, per esempio, la religione – vedi il cristianesimo – o come i partiti di massa, vedi quello comunista. Hanno regole talmente rigide che possono portare al crollo del sistema medesimo, così come è stato per il Partito comunista.

«Pensiamo alle enormi quantità di denaro che circolano quotidianamente nei sistemi capitalistici, al boom impressionante dell'informatica, un sistema di gigantesche proporzioni che può essere paralizzato improvvisamente da un virus, non ultimo quello causato da un giovane filippino: a quest'uomo, che è riuscito a superare tutte le barriere del sistema, bisognerebbe assegnare un Premio Nobel alternativo.

«Quello che è rimasto è, di fatto, un potere incontrollato privo di opposizione, di confronto critico.»

– Lei è nato a Danzica, un nome fatale, più o meno come Sarajevo. Qual era il dramma della sua città, del «corridoio di Danzica»?

«Danzica era una città meravigliosa, ricchissima nel Medioevo, quando apparteneva al regno di Polonia già da trecento anni. Viveva in un vero e proprio stato di grazia perché versava all'erario quantità enormi di denaro e in cambio godeva di grandi privilegi: non era, per esempio, terra di saccheggio o di battaglia.

«Nel 1793, la Polonia viene definitivamente divisa tra Austria, Russia e Prussia, e Danzica passa alla Prussia. E allora ha inizio la sua decadenza: perde il suo carattere sovranazionale e il primato di anello di congiunzione tra le città anseatiche.

«Quando ero giovane, ero abituato a vedere convivere in Danzica persone di stirpe diversa: polacchi, tedeschi, slavi. Io stesso provengo da una famiglia per metà di origini slave. Una convivenza armonica che funzionò molto bene fino al sopraggiungere del nazionalsocialismo, che portò a galla, evidentemente, un antisemitismo latente.

«Con l'inizio della guerra ho drammaticamente percepito la perdita della mia città. Andava ben oltre il fatto puramente territoriale: era la fine, segnata dalla rassegnazione, di un intero mondo.

«Accettata razionalmente questa situazione, ho tentato di recuperare la mia città attraverso i libri, la letteratura: ho ridisegnato i suoi tratti, l'ho restituita alla vita per non pensare di averla perduta per sempre. L'ho fatto registrando storie che mi hanno permesso anche di utilizzare la ricchezza della lingua tedesca ben oltre il piatto realismo delle parole. Credo che molti di quelli che hanno letto della mia città perduta, abbiano avuto la sensazione di qualcosa che è rimasto impresso nel tempo e nella memoria. È il miracolo della letteratura.»

– Lei racconta che il Kaiser Guglielmo II disse all'inizio del secolo: «Una volta arrivati, sappiate: nessuna pietà, non si faranno prigionieri». Era un'anticipazione?

«È il primo racconto del mio libro *Il mio secolo*. Il contenuto di questo documento è stato anche per me una sorpresa, cioè il fatto che all'inizio del Novecento sia stata compiuta un'azione di "polizia internazionale", portata avanti da tedeschi, inglesi, americani, francesi, giapponesi, italiani e russi. È la rievocazione di un discorso fatto dal Kaiser per comandare un'azione punitiva contro i "Boxers" cinesi. Mi piaceva l'idea di cominciare così, perché questo atteggiamento del colonialismo ha fatto scuola negli anni successivi.»

– Perché novanta tedeschi su cento votarono a favore di Hitler?

«In realtà Hitler è salito al potere con un numero molto basso di voti, comunque in maniera democratica, attraverso elezioni regolari. Quelle successive, invece, durante il suo regime e dopo che tutti gli altri partiti erano stati messi al bando, non hanno avuto alcun connotato democratico. Non erano libere scelte, ma numeri. Esattamente come nei regimi comunisti; risultati, in realtà, ridicoli perché frutto di pressioni e di condizionamenti.

«Bisogna sottolineare, comunque, che la presa di potere di Hitler non avvenne con un colpo di Stato. Ci è arrivato in maniera legale, naturalmente grazie all'aiuto dei nazionalisti tedeschi e grazie, in parte, a quello dei liberali e, per finire, al Partito cristiano-democratico. Considerato che i comunisti erano già stati messi fuori legge, i socialdemocratici sono stati gli unici a opporsi a Hitler.»

– Emil Ludwig ha scritto che il Führer offriva alla gente alcune cose che sognava, gli stivaloni, ad esempio. C'è del vero?

«Queste sono forzature letterarie. I motivi per cui Hitler andò al potere furono soprattutto determinati dal fatto che, subito dopo la prima guerra mondiale, anche a causa della debolezza degli altri partiti, la piccola e media borghesia cominciò a votare sempre più a destra. Colpa anche dei socialdemocratici e dei comunisti, che si sono sempre designati come partito proletario; la piccola borghesia si è quindi trovata priva di rappresentanti e dunque è diventata facile preda di Hitler che ha promesso lavoro ai disoccupati e sicurezza sociale a un popolo estremamente insicuro che è caduto nella trappola. Non dobbiamo però dimenticare anche la responsabilità della sinistra e di una classe industriale che già prima del 1933 aveva fatto il suo patto con Hitler.»

– È vero che dopo la guerra le donne dicevano: «È meglio un russo sulla pancia che un americano sulla testa»?

«Questo lo sento per la prima volta, bisognerebbe parlarne con persone che hanno vissuto quei giorni. Ci sono stati scrittori russi che hanno parlato delle violenze sessuali perpetrate in quel periodo dai soldati dell'Armata Rossa; lo hanno stigmatizzato e per questo sono stati mandati nei gulag. Non voglio fare paragoni: ci sono molti atteggiamenti politici degli americani che non condivido, ma non per questo mi sento di parlare di un unico universo Usa da rifiutare a priori.»

– Come si conciliano Beethoven e le SS?

«Non so darle una risposta, ma queste contraddizioni sono presenti in ogni popolo. Come si fa a conciliare Dante con Mussolini? Per quanto Mussolini, prima di approdare al fascismo, fosse, in realtà, un socialista radicale.»

– Da che cosa nasce l'antisemitismo nel suo Paese?

«L'origine era all'inizio di matrice cristiana. Non solo in Germania, ma in tutta l'Europa gli ebrei sono stati spesso indicati come la causa del male: ad esempio nel Medioevo furono considerati responsabili delle epidemie di peste. Sotto molti aspetti ancora oggi è così, c'è chi li considera come gli assassini di Cristo. Successivamente, con l'avvento del nazionalismo, si è sviluppato un antisemitismo popolare e razzista che, unito alla propaganda hitleriana, ha prodotto gli effetti micidiali che conosciamo. Auschwitz ne è l'esempio.»

– Lei ha definito Auschwitz il risultato della perversione dello Stato unitario tedesco. Può spiegarlo?

«Nella storia dell'ebraismo ci sono sempre state persecuzioni, ma quello che è successo in Germania è stato il prodotto di un sistema, di una vera e propria strategia della distruzione. La tendenza di annientare un popolo si è sempre manifestata attraverso forme latenti o esplicite di sopruso, ma quella tedesca era organizzata su larga scala. Per questo sono sempre stato a favore di un federalismo politico in Germania che esalti la pluralità culturale presente in questo Paese.

«Stessa cosa in Italia: forse i conflitti tra Nord e Sud sarebbero meno acuti. In Germania l'esasperazione dei comportamenti e degli avvenimenti storici che ne sono scaturiti dovrebbe portare a essere più critici nei confronti della sua unificazione. Bisogna per questo stare attenti a quella che io considero molto negativamente, e cioè la "Repubblica di Berlino", l'idea di questa nuova capitale nasce chiaramente da una tendenza ben lontana da un federalismo critico.»

– Gli ebrei che cosa rappresentavano? Che potere avevano?

«Hanno dovuto vivere per secoli nei ghetti, gli era proibito svolgere molte attività, ma hanno sempre avuto una grande intelligenza e, una volta usciti dai loro quartieri, si sono inseriti nella società in maniera così attiva da diventare spesso protagonisti. Sono sempre stati molto abili in determinate professioni e non va dimenticato che la letteratura tedesca degli anni Venti sarebbe praticamente inesistente senza di loro. Nel XIX secolo sono stati molto attivi sia come autori sia come editori e, da quando sono assenti, si avverte la mancanza del genio creativo.»

– E che cosa rappresentano oggi?

«È una lunga storia. Molti di loro non erano più disposti a tornare a vivere in Germania dopo la guerra. Sono andati in Israele o in America. È sempre rimasta una comunità cosmopolita che l'Olocausto ha rafforzato.

«Oggi in Germania, e in particolare a Berlino, esistono molte comunità ebraiche; si sono moltiplicate nel corso degli anni. Purtroppo, però, ci sono problemi. Potrei fare un esempio: gli ebrei che sono arrivati dall'Unione Sovietica non sono per niente religiosi, è un modo di essere israeliti completamente diverso da quello tradizionale e si concilia male con quello di stampo canonico.

«Inoltre, da una parte ci sono quelli che hanno deciso di vivere in Germania e di crescere qui i propri figli – e sono a tutti gli effetti cittadini tedeschi –, dall'altra ci sono altri correligionari, alcuni dei quali ricoprono anche ruoli importanti in campo internazionale, che domandano agli ebrei tedeschi come possano vivere nel nostro Paese. E ciò ne limita l'integrazione. Una condizione che vivono quotidianamente.»

– Cosa fu il miracolo tedesco?

«È una parola chiave che ne evoca altre. Dopo la fine della guerra c'erano in Germania undici milioni di fuggiaschi che provenivano dalle province orientali.

«Arrivarono con niente e dovevano ricominciare da zero. È stato questo il motore del miracolo. Hanno costruito una nuova esistenza dal nulla e lo Stato ha reagito non isolandoli, ma coinvolgendoli nella nuova realtà del dopoguerra.

«Mi ricordo la storia dei miei genitori: una volta arrivati furono considerati dai bigotti contadini locali come stranieri. Nonostante tutto, questi profughi vennero poi apprezzati come la forza della nuova economia. A questo bisogna aggiungere anche gli aiuti del Piano Marshall.»

– Il dopoguerra è stato segnato da alcune grandi figure. Chi è stato Adenauer?

«Politicamente era un separatista. Ha rafforzato i confini occidentali della Germania e l'integrazione tra i tedeschi della Repubblica Federale e in questo modo ha accentuato il senso di divisione tra le due Germanie.

«Il suo successore, Willy Brandt, ha cercato invece una politica alternativa, tentando di aprire un dialogo tra Est e Ovest. Ciò non toglie che Adenauer abbia rilevanti meriti politici.»

– Chi è stato Willy Brandt?

«Per me è ancora una grande sorpresa pensare che qualcuno che è stato costretto a fuggire dalla Germania, come ha fatto lui, sia poi diventato cancelliere.

«C'erano forze politiche che tentavano di diffamarlo, in quanto figlio illegittimo e fuoruscito. Questo processo denigratorio è continuato finché Willy è riuscito prima a diventare borgomastro di Berlino, poi è stato eletto al Bundesrat per tre volte consecutive e, infine, è diventato cancelliere. Aveva un'idea precisa: per quel che riguarda la politica interna una maggiore democratizzazione della società, e poi la necessità di un continuo colloquio con l'Est. Senza questa politica di distensione non si sarebbe mai arrivati a una rottura del confine tra i due blocchi.»

– Chi è stato Kohl?

«Un uomo con una idea forte dell'Europa e con un preciso progetto politico. Aveva un vigoroso programma sociale. Ma è stato anche protagonista dell'alleanza con il Partito liberale (l'Fdp) che ha promosso una politica economica in favore della grande industria, il che ha portato un'enorme quantità di disoccupati e tanti debiti che ora devono essere sanati perché le giovani generazioni possano conoscere una nuova ripresa.

«D'altra parte, Kohl aveva un preciso rapporto con il potere e con il grande capitale, anche con i fondi neri, e sono sicuro che un giorno arriveremo a comprendere che alcune grandi decisioni politiche sono state prese per questioni economiche.»

– Il Muro che cosa ha significato per la Germania?

«Una crescita diversa del popolo tedesco. Un popolo che doveva sostenere il peso di una guerra perduta e il senso di colpa per quello che aveva provocato. I tedeschi dell'Est hanno dovuto subire anche una certa arroganza dell'Ovest che, sia prima sia dopo la caduta del Muro, si è considerato vincitore.

«Questo pesante fardello è una vergogna per quelli dell'Est: è stato detto loro che tutto quello che avevano vissuto non contava più nulla. È mancata l'idea di un avvicinamento reciproco ed equilibrato: da un lato c'era chi si sentiva più forte, dall'altro chi doveva invece essere accettato come il più debole.»

– Quali erano le differenze tra le due Germanie?

«Quella federale aveva ricevuto gli aiuti del Piano Marshall, quella orientale no. D'altra parte la diversità è che nell'Est si è tentato in tutti i modi di allontanarsi da una dimensione fascista e dalle responsabilità a questa connesse nascondendosi dietro un'ideologia di sinistra.

«Altra differenza è che nell'Ovest sono rimasti attivi fino agli anni Settanta alcuni vecchi nazisti – giudici, avvocati e altri ancora – che hanno semplicemente cambiato partito.

«Questo non era possibile nella Ddr, dove però si è passati dalla costrizione di una ideologia a quella di un'altra, dalla camicia bruna dei nazisti a quella blu dei "pionieri" del Partito comunista. Per questo non sono potuti crescere liberamente, e questo ha segnato molte vite.»

– Da che cosa è nato il terrorismo, la vicenda del cosiddetto gruppo Baader-Meinhof?

«Si potrebbero fare paralleli con l'Italia. Conoscevo questi ragazzi quando erano studenti, e si trattava di comunisti e radicali impazienti. Mi sono schierato subito contro di loro, nonostante potessi capire la loro insofferenza. L'errore fondamentale è stato pretendere di agire in nome del popolo tedesco e questo ha provocato un susseguirsi di eventi che li hanno condotti alla morte o alla prigione. Ho cercato di combatterli dialetticamente: il loro atteggiamento ha provocato come unico risultato l'irrigidirsi di alcune leggi e ha così limitato la democrazia.»

– Lei ha detto che i tedeschi sono privi di coscienza nazionale. Perché?

«Per questo ho sempre criticato la sinistra tedesca che ha giudicato compito della destra sottolineare l'importanza della consapevolezza dell'essere tedeschi.

«Si può essere orgogliosi di alcuni aspetti della nostra storia e della nostra cultura, ci si può vergognare anche, ma il senso della coscienza di appartenenza non dovrebbe venire meno.

«La Germania, come l'Italia, ha grandi difficoltà ad autodefinirsi come un tutt'uno: si procede per regioni e non per legame a uno Stato. Trovo sconvolgente il risultato delle ultime elezioni italiane, in cui si consente a Berlusconi di allearsi a Fini, così come abbiamo permesso all'Austria di avere un sistema politico di destra conservatrice in un'Europa democratica.»

– Una volta per le donne tedesche c'erano tre «k» che contavano: *Kinder*, *Kuche* e *Kirche*. Oggi?

«La Chiesa non è più un richiamo perché non capisce i mutamenti della società. La cucina si è trasformata in una frequentazione di ristoranti di varie nazionalità – quella tedesca non esiste praticamente più – e molte donne hanno una vita professionale impegnativa. Da un lato c'è una fortissima emancipazione che è sicuramente migliore delle tre "k" da lei ricordate. Adesso ce ne è una nuova, quella di *Karrier*, carriera, che io trovo discutibile.»

– Chi sono stati i grandi personaggi del XX secolo?

«Ci sono state personalità minori non famose ma connotate da un grande coraggio civile che sono state importanti, e persone estremamente famose, ma in realtà del tutto irrilevanti per la storia.»

– I grandi della letteratura tedesca, Thomas Mann e Bertolt Brecht, che cosa hanno rappresentato?

«Thomas Mann come Brecht sono sicuramente importanti, ma ce ne sono molti altri che contano. Quand'ero un giovane autore, ad esempio, sono stato molto influenzato da Döblin. Mann e Brecht sono classici, icone della letteratura tedesca, ma avvicinarsi a Döblin da giovani era uno stimolo letterario molto forte. Ha introdotto anche nuove forme stilistiche, ha adottato il racconto incompiuto, era una grande lezione per un giovane scrittore. Gli ho dedicato due saggi: per me è ancora un grande maestro.»

– E Wiechert?

«Sì, anche a me piace molto Wiechert. Non è un grande scrittore, ma durante il nazionalsocialismo è stato una forza di opposizione molto importante.»

– La storia insegna?

«Sì, può insegnare, ma noi siamo pessimi allievi; non solo i tedeschi: tutti. Molte lezioni le abbiamo percepite, la forza della democrazia, ad esempio, ma da sola non basta: è necessario che sia accompagnata da una solida struttura sociale egualitaria e sicura, e questo non l'abbiamo ancora capito. Una democrazia che non riesce a compensare le ingiustizie sociali è, a mio avviso, solo formale.»

– Cosa rappresenta oggi la Germania per l'Europa?

«La Germania è un Paese ricco e con un forte peso e la sua funzione è duplice: da una parte di forza economica trainante, dall'altra perché si riconosce fortemente nell'Europa. Può esercitare una funzione di tramite importante tra Europa sudorientale e occidentale. La vedo come una possibilità, e sono d'accordo con il ministro Fischer sull'opportunità di creare una Germania Federale all'interno di un'Europa federale. Un Parlamento europeo è necessario per avere un quadro chiaro dei conflitti tra gli Stati, la federazione deve avere anche una carta sociale, che per ora non ha. Dovrebbe essere anche indipendente dagli Stati Uniti. L'America ha un grosso potere di controllo, forse più forte oggi di prima in quanto è rimasta l'unica superpotenza.»

– E l'Europa per la Germania?

«È una grande opportunità, anche se la Germania, pericolosamente, vede la possibilità di scaricare i suoi problemi irrisolti sull'Europa. D'altra parte, credo che i tedeschi considererebbero un onore avere l'opportunità di considerarsi europei e di fungere da tramite tra Est e Ovest.»

– Come è considerato dalla critica del suo Paese?

«Gli do da lavorare. Io sono uno scrittore, ma anche un pittore, e posso sfruttare queste due possibilità. La mia vita sono la letteratura e la politica, di cui abbiamo parlato a lungo, fa sicuramente parte di questa verità, ma nei miei libri sono trattati anche altri argomenti altrettanto interessanti e forse più validi.

«Sono qui come scrittore, anche come cittadino impegnato politicamente, ma prima di tutto come scrittore.

«L'ho detto anche ai critici, non voglio che il mio impegno politico faccia dimenticare la mia attività di scrittore. Sono convinto che la partecipazione alla politica per un intellettuale sia molto importante, ma non può e non deve sopraffare la sua professione.»

– Che cosa ha significato il Premio Nobel?

«Quando l'ho vinto, sono stato felice, ma non ha cambiato

la mia vita. Il foglio è sempre bianco com'era prima e la paura è sempre la stessa quando inizio qualcosa di nuovo. Da sempre la base di tutta la mia attività è motivata da un impegno letterario, in cui ha trovato spazio anche un forte impegno politico in quanto cittadino. Molti miei libri hanno una duplice funzione, ad esempio una parte rilevante della mia prosa trae origine da Danzica fino al dopoguerra polacco. Questo mi ha portato ad avere un pubblico molto attento non solo in Germania, ma anche in Polonia nonostante la censura che ha dominato a lungo in quel Paese.

«Per questo i miei libri, al di là del loro valore letterario, sono stati considerati come una sorta di avvicinamento tra i due Paesi. Ma in primo luogo, ed è così che io la penso, è stato il mio lavoro di scrittore a essere premiato a Stoccolma.»

– Lei si è definito un pessimista innamorato della vita. Da che cosa nasce l'amarezza e che cosa le piace di questo mondo?

«Il fatto che io sia pessimista non ha niente a che vedere con l'amarezza. Trovo crudele ogni tentativo di manipolare l'uomo attraverso l'ideologia. E questo fatto mi porta a essere pessimista, ma non necessariamente triste. Ci siamo sempre immaginati Sisifo come un povero sconfitto. Camus lo interpreta in un modo nuovo, come un ribelle che chiede a Dio di lasciargli il peso della propria esistenza, teorema del dramma di vivere affrontato con coraggio e lucidità.

«Questa immagine mi appartiene profondamente, Sisifo sa che la pietra non resterà mai sulla cima del monte dove l'ha spinta. Per questo motivo possiamo immaginarcelo come persona perché apre una visione dell'uomo problematica, irta di ostacoli, pessimista anche, ma non necessariamente disperata. Nonostante tutto continuo a nutrire un grande amore per la vita.»

LUIS SEPÚLVEDA
QUELL'ALTRO MONDO

Il luogo. Per me l'America del Sud era quella che racconta Edmondo De Amicis; l'avventuroso viaggio di un ragazzino che, alla ricerca della madre, parte dagli Appennini per arrivare alle Ande.

Devo confessare che gli eroi di *Cuore*, anche nell'innocente stagione dell'adolescenza, non mi hanno convinto del tutto; pensavo, ad esempio, che il piccolo scrivano fiorentino, se lavorava tutta la notte, doveva inesorabilmente dormire di giorno.

Poi è capitato anche a me, non per ragioni sentimentali, ma di mestiere, di attraversare il mare per andare a conoscere un cristiano al quale era stato assegnato il Premio Nobel per la pace: si chiamava Pérez Esquivel, argentino; era stato incarcerato e seviziato per ventotto mesi per ordine di una giunta militare, con l'accusa di complicità con rivoluzionari e terroristi, mentre era solo un seguace di Cristo e considerava suoi maestri anche Gandhi e Martin Luther King, e poi il vescovo brasiliano Dom Helder Cámara, un bramino indiano e un monaco buddhista. Chiedeva soltanto democrazia.

Vidi sfilare le madri di Plaza de Mayo, sulla testa un fazzoletto bianco, che nascondevano capelli dagli spenti colori e chiedevano notizie di ragazzi e di bambini portati via una notte e mai più ritornati. I generali dicevano che era inutile che ogni sera quelle donne continuassero a sfilare davanti alla Casa Rosada, che i 30.000 *desaparecidos* erano morti e con un comunicato cercarono di seppellirli per sempre.

Andai anche in Colombia, dove si era rifugiato un giovanotto, uno di «destra», che aveva qualche problema con i nostri tribunali, e poi accompagnai Pertini, presidente della Repubblica.

Non ho molti ricordi di quel soggiorno; se ci ripenso

una canzone allora di moda: «Una noche con tigo a Cartagena» diceva il ritornello; e una ragazza di colore che ballava in un night e trovò simpatico un mio giovane e invidiato collega.

A Bogotá mi sembrò esatta la descrizione di Gabriel García Márquez: «Una città grigio-cenere, triste, piovosa», e mi colpirono i lustrascarpe che imperversavano nelle sale di attesa dell'aeroporto, i bimbi che vendevano fiori o giornali, i furbacchioni che offrivano sui marciapiedi pietre preziose come se fossero gomma da masticare o lamette da barba. La povertà che inventa qualche modesto traffico per sopravvivere.

E poi la campagna, con la vegetazione tropicale, il caldo umido e le mosche, i lunghi silenzi e la solitudine, quegli omoni lucidi di sudore e quelle donne dai fianchi forti ed esagerati, e quei suoni di campane che con il canto dei galli preannunciano il mattino.

Conobbi l'autore di un romanzo ormai classico, forse il suo capolavoro, *Cent'anni di solitudine*, a un tavolino del bar dell'Hotel Camino Real a Città di Messico: e le presentazioni le fece Gianni Minà, che conosce tanta gente importante da quelle parti.

Gabriel García Márquez beveva whiskey annacquato e mi faceva servire *marguerite*, un miscuglio di tequila, Cointreau e limone, e mi spiegava l'ultima storia che aveva appena finito di scrivere: *Cronaca di una morte annunciata*.

Anche quella era una vicenda vera ispirata dalla «puttana vita», come dicono in quella Colombia che gli è sempre nel cuore, con i suoi patriarchi e gli alcadi, le guardie e i giudici, i signori e i miserabili, e i paesaggi immersi nel sonno, ogni tanto il suono di una campana, il continuo ronzìo delle mosche, le capanne di fango con il tetto di bandoni di latta, uomini che calzano sempre gli stivali, mulatte scatenate nell'amore, spiriti e magie, piazze desolate e muri scalcinati.

Molti trafficano la coca che passa da lì per raggiungere i suoi effimeri paradisi, ma García Márquez difendeva anche quei commerci che per tanti poveracci costituiscono l'unica possibilità di sopravvivere, in un mondo dove la corruzione raggiunge tutti i livelli. «La vergogna» dice un suo personaggio «ha la memoria debole.» E un altro aggiunge: «Di questi tempi la giustizia non si fa con le scartoffie, si fa con le fucilate».

Márquez era convinto che il comunismo «è la via più giusta e più educativa per il continente americano», e si recava spesso a Cuba con valigie piene di libri che acquistava per il suo amico Fidel Castro.

Disse, ad esempio, che il Nobel e le 150.000 corone, sia pure svalutate, che lo accompagnano, li aveva ricevuti «senza emozione», mentre il suo «sogno più grande» era «figurare nell'Enciclopedia sovietica, che sarà la sola eco che la letteratura attuale avrà nell'avvenire». È probabile che abbia modificato il parere.

Di Fidel mi disse: «Ciò che più impressiona di lui è la sua tenerezza. Dimentica per un momento la politica. La nostra confidenza si fonda quasi esclusivamente sul fatto che l'unica cosa di cui parlo con lui è la narrativa. È un lettore straordinario».

Gabriel García Márquez ha passato i settanta e la salute gli ha dato qualche preoccupazione. Aveva una casa a Parigi, lavorava ogni giorno dalle 9 del mattino alle 3 del pomeriggio, voleva scrivere, mi disse, le sue memorie. Sosteneva che bisogna farlo fin che si è lucidi e non, come succede a molti, quando non si ricorda più niente. Per lui la sinistra «è l'unica promozione umana possibile» e la destra è tutto il contrario.

Non è religioso, ma è superstizioso. Nel suo studio c'è sempre un vaso di fiori gialli: è convinto che portino bene.

Il personaggio. Luis Sepúlveda nasce nel 1949. Da bambino legge i libri di Francisco Coloane, scrittore, ma anche cacciatore di balene, esploratore in Antartide, istruttore di marinai, pecoraio nella Terra del Fuoco. Da quelle letture nasce il desiderio di viaggiare, di essere una specie di nomade. Dopo aver letto, a sedici anni, *Terra del Fuoco*, prende la decisione di imbarcarsi su una baleniera. È il suo primo viaggio.

Diversi anni dopo, raccontando il primo incontro con Coloane, Sepúlveda scrive: «Uscii da casa sua tardissimo. Cominciai a camminare nel parco, poi per le strade deserte, e all'improvviso mi accorsi che l'eco dei miei passi si moltiplicava. Non ero solo. Non sarei stato mai più solo. Coloane mi aveva passato i suoi fantasmi, i suoi personaggi, gli indios e gli emigrati di tutte le latitudini che abitano la Patagonia e la

Terra del Fuoco, i suoi marinai e i suoi vagabondi del mare. Adesso sono tutti con me e mi permettono di dire a voce alta che vivere è un magnifico esercizio».

Dopo gli studi, comincia a lavorare come redattore del quotidiano *El Clarín*. Nel 1969 vince il premio letterario Casa de Las Américas per alcuni racconti brevi.

La notte del 10 settembre 1973, dopo avere trascorso due settimane a fare la sentinella a un impianto di acqua potabile che i fascisti minacciavano di far saltare in aria o di avvelenare (era il responsabile militare e politico della guardia), rientra con altri compagni a Santiago. Quella notte Radio Corporación annuncia, in codice, che i militari stanno per effettuare il colpo di Stato.

La mattina dell'11 settembre, mentre entrano in Santiago, Sepúlveda e i suoi compagni vengono coinvolti nelle sparatorie con i soldati. Ascoltano l'ultimo discorso di Salvador Allende alla radio, asserragliati in un deposito di utensili, raggiungono poi un ospedale dove alcuni soldati avevano ucciso medici, infermieri, malati.

«Il cielo si chiuse come ad assicurarsi che la primavera non sarebbe mai più arrivata, che sarebbe cominciata una lunghissima oscurità di spari, grida, pianti, torture, sparizioni, carcere, esilio, scherno, menzogne, tradimenti, proibizione della memoria, negazione dell'eroismo.»

«Noi, quelli di allora,» scrisse Pablo Neruda «non siamo più gli stessi perché molti non ci sono più a raccontare la storia dei nostri sogni soppressi quel giorno, il più lungo delle nostre vite. Ma la memoria vive, vive perché non dimentica né perdona...»

Luis Sepúlveda ricorda così le ore del golpe: «Era un giorno cupo, pieno di nuvole, come se anche il tempo avesse capito che si stava avvicinando una notte di grande tristezza. Ma Allende, nel suo ultimo messaggio a Radio Santiago, non ebbe parole di tristezza, ma di ottimismo, di grande onestà. In un giorno come oggi, quando mi guardo allo specchio, mi dico: "Compagno, sei stato nel giusto".».

E ancora: «Difficile fare la sintesi di quelle ore. Ha il colore degli occhi dei compagni che caddero vicini a noi, quello grigio fumo della Moneda che bruciava, ma soprattutto il compendio di quei giorni furono le parole di Allende, l'ultimo messaggio di speranza, il timbro della voce di un uomo che scelse di sacrificarsi per non umiliare il suo popolo».

Dopo un periodo di clandestinità, Sepúlveda viene arrestato e rimane in carcere per due anni e mezzo. È condannato a ventotto anni, commutati poi, grazie ad Amnesty International, in otto anni di esilio. Prolungato fino alla fine della dittatura.

Va in Argentina, Uruguay, Brasile ed Ecuador. Nel 1979 è in Nicaragua con la brigata Simón Bolívar che apre la strada al Fronte sandinista a Managua.

Quando lascia il Sudamerica si reca a vivere in Germania e infine in Spagna.

Il permesso di rientrare in Cile arriva dopo anni di vani tentativi. Sepúlveda si trova ad Amburgo, è un lunedì di gennaio. L'impiegato del consolato gli comunica che il suo nome è stato tolto dalla lista di quelli che non possono tornare.

Esce dagli uffici tremando e rimane per ore seduto su una panchina davanti allo specchio d'acqua dell'Alster. Poi ricorda l'impegno preso con un amico, Bruce Chatwin, conosciuto in un caffè di Barcellona. I due avevano progettato un viaggio «ai confini del mondo»: Patagonia e Terra del Fuoco.

«Quando partiamo, cileno?» gli aveva chiesto Chatwin.

«Non appena me lo permettono, inglese» aveva risposto Sepúlveda.

«Hai dei problemi con i pezzi grossi che governano il tuo Paese?»

«Io no. Sono loro che hanno problemi con me.»

È stato membro dell'equipaggio di *Greenpeace*.

Ha detto: «La mia vita è divisa in due: c'è la parte della militanza politica e c'è la parte dell'avventura».

«Sono nato in Cile, ma sono latino-americano, intensamente latino-americano, orgogliosamente latino-americano.»

L'incontro. – Signor Sepúlveda, cosa vuol dire essere «intensamente latino-americani», «orgogliosamente latino-americani»?

«Vuole dire essere orgogliosamente universali, intensamente universali. Noi latino-americani siamo la prova che il meticciato è possibile, che esiste. L'essenza dell'essere latino-americani è l'essere meticci. Nelle mie vene scorrono sangue basco, sangue andaluso e sangue indio. Essere orgogliosamente latino-americani, intensamente latino-americani, significa essere individui coscienti dell'esistenza di un vincolo universale. Niente di ciò che accade nel mondo è estraneo ai latino-americani perché siamo gli eredi, i figli degli emigranti giunti da tutti gli angoli del pianeta e, allo stesso tempo, siamo i successori dei primi abitanti dell'America.»

– Un latino-americano cosa ha alle spalle e cosa ha davanti a sé?

«Alle nostre spalle c'è un'enorme tradizione che è universale: la memoria delle antiche culture e civiltà dell'America, ma anche di quelle degli emigranti arrivati quaggiù. L'incontro tra gli europei e gli americani se da un lato è stato traumatico, dall'altro ci ha arricchito enormemente. Grazie a esso arrivarono la scrittura, che diede unità culturale al continente, e la lingua spagnola e quella portoghese che gli permisero di superare i confini del tribalismo. Davanti a noi abbiamo il compito, la sfida di costruire una società felice attraverso la sintesi del nostro passato e di tutta questa enorme ricchezza.»

– La sua infanzia è stata segnata dai libri di avventura, in particolare da quelli di uno scrittore della sua terra, Francisco Coloane. Cosa l'affascinava in lui?

«La percezione che aveva dell'immensità e degli spazi e, soprattutto, mi piaceva che i suoi personaggi non fossero i classici uomini al servizio dei re come nei romanzi d'avventura francesi (*I tre moschettieri*, ad esempio), ma persone qualsiasi, quasi al limite dell'emarginazione. Erano uomini senza Dio né legge, senza patria né bandiere, erano l'essenza di ciò che credo debba essere un avventuriero.

«Al mondo ci sono stati solo due scrittori capaci di creare personaggi di cui ci si innamora: il cileno Coloane e l'italiano Salgari. I protagonisti dei loro romanzi sono riusciti a superare i confini politici e geografici della loro patria, del loro Paese.»

– Parecchi anni dopo, raccontando il suo primo incontro con Coloane, disse che «vivere è un magnifico esercizio». Da cosa nasceva questa affermazione?

«Da un'esperienza personale. Adesso ho cinquant'anni, e quando ripenso al passato vedo che ho fatto molte cose, che sono stato in diversi luoghi, che ho conosciuto tutti i sentimenti che può conoscere un essere umano e non mi pento di niente, non mi pento di nessun giorno che ho vissuto.

«Se mi fosse offerta la possibilità di ricominciare la mia vita, farei esattamente le stesse cose, passo dopo passo, con tutti gli errori e tutti i successi. Perché in definitiva nei confronti della vita provo piacere, gratitudine, e così posso affermare che non esiste niente che possa essere paragonato al vivere intensamente, a svegliarsi tutti i giorni, respirare, guardare il mare, osservare un paesaggio, ritrovarsi con gli amici.

«Credo che siano poche le persone realmente consapevoli di quanto sia bello vivere, dell'importanza che ha vivere come uomini liberi, liberi da alienazioni di ogni tipo.

«Quando ho conosciuto Coloane ho avuto la conferma che vivere è un esercizio magnifico, formidabile, perché ti permette di superare una sfida dopo l'altra e perché ti fa capire che la vita è una grandissima avventura. Non ne conosciamo la fine, ma nonostante ciò abbiamo la capacità di andare avanti, di seguirla, di prenderci il rischio di viverla.»

– Lei aveva progettato un viaggio «ai confini del mondo» – Terra del Fuoco e Patagonia – con un compagno straordinrio: Bruce Chatwin. Che tipo era e come vi siete conosciuti?

«L'ho conosciuto per caso perché avevamo un amico comune, che poi era il suo editore, Mario Mushnik, e che un giorno a Barcellona mi disse che c'era un inglese che voleva conoscermi e sapeva che io volevo conoscere lui. Chatwin e io avevamo molte cose in comune.

«Ci incontrammo in un caffè che non esiste più, il Surish, e parlammo per ore. Nacque così un'amicizia più letteraria che personale perché eravamo molto diversi.

«Chatwin è stato un grande scrittore, peccato sia morto tanto giovane, a soli quarantanove anni, ma aveva un modo di viaggiare che non è il mio: Chatwin voleva verificare e confermare ipotesi, secondo l'atteggiamento tipicamente britannico di pensare che il mondo sia come lo immaginano loro.

«Invece a me è sempre piaciuto viaggiare in un altro modo: per avere delle sorprese. L'unica cosa che mi interessa è l'imprevisto, le novità che incontro girando il mondo. Chatwin, vero gentleman inglese, aveva il suo modo, peraltro degno del massimo rispetto, di viaggiare per trovare una conferma alle sue intuizioni. In ogni caso è stato per me un vero compagno e avevamo fatto molti progetti da realizzare insieme, perfino quello di un libro a quattro mani: volevamo ricostruire gli ultimi giorni di Butch Cassidy e Sundance Kid, i due banditi americani che morirono in Patagonia. Disgraziatamente la morte ha rapito Chatwin prima che potessimo realizzare quel progetto.»

– Perché la Terra del Fuoco (nella letteratura, e non solo in essa) rappresenta l'ignoto?

«È molto difficile da spiegare, bisogna conoscerla. Il paesaggio non è particolarmente bello: è ostile, crudele, violento, fa molto freddo. Le estati sono brevi e non richiamano certo i turisti. Nonostante questo la Patagonia è maestosa: la sua solitudine ha qualcosa di speciale che, in qualche modo, esercita sulle persone un effetto per così dire mistico. Io non sono religioso, più che agnostico sono un ateo arrabbiato, ma la Terra del Fuoco è uno di quei grandi spazi in cui comincio a intuire chiaramente che la mia esistenza nell'ordine universale non è frutto del caso, ma che anch'io sono conseguenza del disegno del grande ordinatore delle cose – o forse del grande "disordinatore" –, e sento di avere un legame molto stretto con chi determina che collocazione debbano avere le cose del mondo.

«Non è esattamente un esercizio ascetico, ma è comunque una esperienza piacevole e mi aiuta a sentirmi meno solo. Sarebbe terribile un giorno accorgersi che, a parte noi, non c'è nessun altro nell'universo. Saremmo condannati a milioni di anni di solitudine. Allora, quando ci si trova in spazi immensi come quelli della Terra del Fuoco o della Patagonia, si arriva a intuire che esiste un vincolo con l'universo che va molto al di là di ciò che conosciamo. Il grande fascino di quei luoghi consiste in questo.»

– Che cosa le è rimasto impresso: le persone, l'ambiente, gli animali?

«Credo che i paesaggi non possano esistere senza l'uomo: in fondo non sono che una scusa per conoscere gli altri. Se mi fermo ad ammirare le cascate del Niagara, vedo chiaramente dell'acqua che precipita, ma se ci sono *anche* un uomo o una donna, allora, in un certo senso, posso guardare le cascate attraverso lo sguardo di quella donna o di quell'uomo.

«Solo allora i paesaggi esistono realmente, in tutta la loro maestosità. E, dovunque sono stato, quello che mi ha sempre affascinato di più è la gente.»

– C'è un incontro che ricorda in particolare?

«Ce ne sono molti, ma soprattutto quando viaggiavo in Patagonia mi è capitato di incontrare personaggi che vivono in assoluta solitudine e che sono capaci di compiere cose prodigiose.

«Ricordo che tre o quattro anni fa, mentre viaggiavo con l'amico fotografo Daniel Mordzinski arrivammo a casa di una donna molto vecchia che proprio quel giorno compiva novantanove anni. Ci fece vedere la sua carta d'identità, ci offrì la sua ospitalità, ci preparò qualcosa da mangiare, del *mate* da bere, e all'improvviso, mentre parlavamo con lei davanti al fuoco, prese il rametto secco di un albero, lo massaggiò con le dita finché non ne nacque un fiore.

«Pensai: è un trucco, non può essere vero; e le chiesi di rifarlo. Mi disse: "Che cosa?". Le risposi: "Quello che ha fatto con il ramo".

«Allora prese un altro ramo secco, lo strofinò nuovamente con le dita e spuntò un nuovo fiore. Erano fiori di melo: quei pezzi di legno erano rami di un vecchio melo. Le chiesi: "Ma come fa?". E lei mi rispose che sono cose che succedono, che lei era così e che la gente veniva da lei quando magari aveva una vacca sterile e che lei, con un semplice tocco delle mani, la faceva diventare feconda. Lo stesso con la terra: se la sfiorava, diventava fertile.

«Pensai immediatamente al mito della Pashamama, la Madre Terra degli indios del Nord, ma questa donna non era un'india, era un'europea, una croata che viveva in Patagonia da settant'anni. Come lei ho incontrato molti altri tipi affascinanti.»

– Tra gli eroi di quei posti ci sono i balenieri.

«Sì, li ho conosciuti. Ormai non ce ne sono più nei mari del Sud, in Sudamerica. Erano uomini tristi, ma molto responsabili. Sapevano che la caccia alla balena era finita, che era impossibile continuare e gli ultimi che ho incontrato, quelli della baia di Quintay, erano persone veramente ricche di buonsenso, non avevano alcuna consapevolezza di quello che oggi si definisce "ecologia", ma sono stati i primi veri ambientalisti che ho conosciuti, le prime persone che nella pratica, nella vita di tutti i giorni avevano scoperto che bisognava proteggere il mare, che non si poteva continuare a sfruttarlo senza criterio, che bisognava stabilire una moratoria in modo che le varie specie potessero rinnovarsi per poi continuare. La pesca non è soltanto un'attività economica, è una cultura, e il mestiere di pescatore si tramanda dal padre al figlio e dal figlio al nipote, e loro avevano capito che era fondamentale abolire la caccia alle balene e limitare le quote di pesca. Sono stati loro a capirlo, non le organizzazioni ecologiste.»

– Perché l'avventura è la fonte di ispirazione comune della letteratura latino-americana?

«Perché il continente americano è ancora un luogo dove vivere è un'impresa rischiosa. Niente è sicuro, niente è statico, tutto è soggetto all'imponderabile, la stessa instabilità politica fa sì che la vita si trasformi in un'avventura.

«E poi è un continente che non conosce ancora del tutto se stesso e comincia a farlo solo ora, anche se molto lentamente. Soltanto nell'area dell'Amazzonia ci sono più di novanta etnie che non hanno ancora contatti con l'uomo bianco e che non si conoscono tra loro. Il continente è talmente grande che credo passerà mezzo secolo prima che le comunicazioni riescano davvero a farci conoscere così come gli europei si conoscono tra loro. Questo fa sì che sia un luogo dove l'avventura è ancora affascinante e, al tempo stesso, una strada possibile per spiegare le cose. La letteratura è questo: è un modo di spiegare il mondo. Lo scrittore prima cerca di chiarirlo a se stesso e poi prova a condividere con gli altri quello che ha scoperto.»

– Qual è stata la sua avventura più bella?

«Credo che le mie avventure più belle siano state quelle accanto al lettino della sala parto, quando sono nati i miei figli: ho sempre voluto essere il primo ad accogliere queste creature. Ho accolto ognuno dei miei cinque figli quando è uscito dal corpo della madre. Il primo contatto che hanno avuto con il mondo sono state le mie mani e quello che succede in un momento come quello, quando si prende in mano un essere così piccolo e fragile, e si ha la responsabilità di dargli il benvenuto a nome di tutta l'umanità, è un'avventura straordinaria. Non è soltanto l'attimo in cui nasce, è dirgli:

"Benvenuto al mondo, io cercherò di far in modo che per te sia giusto e buono: te lo prometto".»

– E il giorno più disperato della sua vita?

«Quando ho saputo che avevano assassinato il mio più caro amico: per me era come un fratello, si chiamava Sergio Leiva, un poeta straordinario.

«Militavamo nella stessa organizzazione politica e su di lui pendeva già una condanna a morte. Era terribile ascoltare alla radio in Cile le liste delle persone che dovevano essere giustiziate. Erano state giudicate in contumacia.

«Gli ordinammo di rifugiarsi in un'ambasciata per salvare la pelle e cercò di entrare in quella argentina ma, mentre stava cercando di scavalcare il muro di cinta, gli spararono e lo uccisero. E fu spaventoso perché la sua morte fu la dimostrazione che anche noi potevamo morire: fino a quel momento avevo pensato di essere immortale, che non ci sarebbe mai potuto capitare nulla, come se qualcosa ci proteggesse dalle disgrazie e dalle pallottole.»

– Gli italiani legano la storia del Cile alle vicende di Salvador Allende. Che persona era?

«Allende era un essere straordinario perché era "normale". La sua grandezza era proprio questa normalità, non era un leader carismatico o con un prestigio proveniente da qualità eccezionali.

«Allende era un bravo padre di famiglia, era un uomo al quale piacevano il buon vino, il buon whisky, le belle donne; gli piaceva il tango, gli piaceva mangiare bene.

«Ma la sua più grande qualità era quella di saper infondere una fiducia enorme nel prossimo: bastava stargli accanto per un paio di minuti per avere la più completa fiducia in lui. E poi aveva una memoria prodigiosa che gli permetteva di ricordare anche i più piccoli particolari che riguardavano tutte le persone che conosceva. Aveva una memoria eccezionale. Era un leader "a dimensione familiare" e così il rapporto che ebbe con coloro che lo seguirono fu esattamente l'opposto di quello di Fidel Castro.

«Io sono stato molto vicino ad Allende e quello che ci ripeteva sempre era che di lui si poteva fare a meno, non ha mai detto di essere necessario, non voleva essere il capo dal quale dipendeva la storia; desiderava che ognuno di noi diventasse il suo sostituto potenziale, colui che avrebbe continuato quello che avevamo cominciato insieme.

«Si considerava uno in più, non il leader supremo. In questo senso sfuggiva allo schema della sinistra, odiava qualunque forma di culto della sua persona. Era un uomo straordinario e per questo condannato a una grande solitudine. Fu il suo dramma e lo costruì lui stesso quando impedì che lo trasformassero in un feticcio.»

– Perché è finito tragicamente?

«Le ragioni del colpo di Stato in Cile? Il capitalismo mondiale dei tempi della Guerra Fredda. Nixon e Kissinger furono molto chiari quando affermarono che gli Stati Uniti non avrebbero permesso che l'esempio del Cile diventasse esportabile, che altri Paesi cercassero di imitarne l'esempio, perché in qualche modo noi rappresentavamo allora una specie di terza via, quella cui adesso fa riferimento Tony Blair. Volevamo una società più giusta, una società senza dittature, più pulita, che offrisse a tutti le stesse opportunità. Non volevamo la dittatura del proletariato, non volevamo nessuna dittatura, volevamo un Paese democratico. Certo, forse avevamo un'idea della democrazia sbagliata, ma sicuramente più partecipativa. Credo che la nostra visione fosse più vicina alle idee dell'autogestione degli anarchici spagnoli degli anni Trenta che non all'idea della democrazia borghese che poi si diffuse nel mondo.

«La tragica fine di Allende fu conseguenza del suo stesso modo d'essere. Gli fu offerto di consegnarsi vivo e di andare in esilio, ma il suo senso di responsabilità politica gli disse che non poteva permettere che la gente che lo seguiva, che quella parte del popolo cileno che si identificava in lui fosse sottoposta all'umiliazione di vedere il suo presidente esiliato e preferì dare, suicidandosi, un'ultima dimostrazione di coraggio. A volte anche per uccidersi bisogna avere un estremo coraggio.»

– Che cosa è rimasto di lui?

«Il pensiero politico: solo adesso comincia a essere capito e studiato. Si cercò di far dimenticare l'eredità politica di Salvador Allende, ma fortunatamente i suoi discorsi furono salvati. Era stato senatore del Cile per diciassette anni e prima era stato deputato e dirigente degli studenti di medicina all'università. L'impegno politico e sociale di Allende durò a lungo e lasciò impronte che solo oggi cominciano a venire alla luce permettendoci di scoprire un leader estremamente moderno e perfino in anticipo sui tempi.

«Nel 1968, anno in cui assunse la presidenza del senato in Cile, Allende tenne un discorso memorabile nel quale disse chiaramente che per il comunismo dei Paesi dell'Europa orientale l'unico destino sarebbe stata l'autoestinzione. Una specie di vaticinio che, ovviamente, non fu *vox populi* perché lo si ascoltò solo in senato, ma che oggi ci restituisce la figura di un capo con una grande capacità di intuizione e di analisi politica. Ciò che rimane vivo di lui sono il suo esempio e la sua eredità intellettuale.»

– Cosa ricorda di quell'11 settembre 1973?

«Quel giorno ero molto stanco, non dormivo già da parecchie notti. Mi svegliò mia moglie per dirmi di ascoltare la radio perché stavano trasmettendo il segnale prestabilito per scatenare il colpo di Stato militare. Allora capisco che il golpe c'è stato e cerco di mettermi in contatto con i compagni che sono già tutti in marcia. Quello che ricordo è un giorno d'addio, perché fu l'ultimo in cui vidi molti carissimi amici che poi morirono: avevano tutti diciotto, ventuno, ventidue anni.

«Quel giorno ci incontrammo in una piazza molto vicina a casa mia, la Plaza Marina. Fu uno spettacolo quasi surreale – tutti armati con quello che avevamo rabberciato: qualcuno con una pistola, qualcuno persino con vecchie doppiette da caccia per difendere il governo costituzionale. E intanto passavano i soldati, perfettamente armati ed equipaggiati per una guerra. Ci dava forza la convinzione che noi compagni avremmo vinto. Non fu così e, quando cominciammo a fare l'inventario di quello che era stato di noi tra l'11 e il 17 settembre 1973, scoprimmo che erano stati uccisi seimila ragazzi tra i diciotto e i ventitré anni, la parte migliore della mia generazione, quelli che erano morti per difendere ciò che avevamo conquistato legalmente.»

– Il poeta Pablo Neruda disse: «Noi, quelli di allora, non siamo più gli stessi». La stessa cosa vale per un paio di generazioni in Europa. Bernanos ha scritto: «Il più morto di tutti è il ragazzo che io fui». Lei cosa ha perduto?

«Noi, quelli di allora, non siamo più gli stessi. È vero: credo di aver perduto molto, ma anche di aver molto guadagnato. Ho perduto persone che ho amato moltissimo. Conservo nella mia memoria una specie di lista delle perdite con la quale devo convivere.

«Ma ho anche ricevuto molto, tanti esempi di eroismo. Se devo parlare di ciò che ho perduto, posso dire che ho perduto molte cose, ma mai la speranza. La speranza no, anche se talvolta è venuta meno la fiducia nella gente. Ho partecipato a un altro processo politico rivoluzionario in Nicaragua ma, quando mi sono accorto della strada che stava imboccando quella rivoluzione, quando ho compreso che stava naufragando nella corruzione, me ne sono andato.

«Mi resi conto che stavo rischiando di perdere qualcosa di molto grande, che potevano rubarmi la cosa più importante, la decenza, che è l'essenza della lotta per l'emancipazione, l'etica che deve contraddistinguere ogni battaglia per la libertà. Ma, in fin dei conti, quello che ho ricevuto è molto di più di quello che ho perso perché ho assistito a grandi esempi di eroismo, che ricorderò sempre, e ho ottenuto il rispetto di moltissime persone e questo mi rende molto felice.»

– Come si scatenò la repressione di Pinochet?

«All'inizio fu violenta e brutale. Non fu affatto spontanea. Il servizio segreto militare era già in azione dal 4 settembre 1970: avevano già compilato una lista delle persone da arrestare e da uccidere. Poi nel gioco entrarono i gruppi fascisti cileni come Patria y Libertad, l'estrema destra, il Dipartimento di Stato americano, la CIA, che svolse un ruolo fondamentale. Raggiunsero immediatamente i loro obbiettivi con brutalità: sequestri, *desapariciones*, assassinî, lo stadio nazionale trasformato nel simbolo dell'orrore, una città con il coprifuoco e quando, la mattina, suonava la sirena, la gente poteva tornare in strada e la prima cosa che trovava erano i morti della notte precedente.»

– Quali erano le pene che infliggevano, la tortura più praticata?

«Non facevano troppo i difficili: praticamente tutte. Quella preferita erano certamente le scariche elettriche, con la vittima nuda su un tavolo di metallo e gli elettrodi applicati ai piedi, ai genitali e nei punti delle terminazioni nervose più sensibili. E questo non lo facevano solo per avere informazioni, ma per un sadico piacere: torturavano per dimostrare che loro erano soldati. Ho conosciuto centinaia di persone che hanno subìto queste sevizie e alle quali non fu rivolta neppure una domanda. Torturare per il semplice gusto di torturare.»

– C'è qualcuno dei perseguitati che è diventato un simbolo per i cileni?

«Molti di loro sono divenuti un simbolo. Cito il caso di Miguel Henriquez, dirigente del Movimento de Izquierda Revolucionario, un partito che non esiste più, che morì lottando in condizioni terribili otto anni dopo il golpe militare, e di tutti i ragazzi di una organizzazione che si chiamava Fronte Patriótico Manuel Rodriguez, che riuscirono quasi a uccidere Pinochet in un attentato nel 1985 e che erano comandati da un certo José Miguel, che si trasformò in un punto di riferimento per la resistenza, la resistenza onesta, quella senza fame di potere.»

– Sua moglie Carmen è stata torturata e – creduta morta – gettata in una discarica. Perché nei suoi libri c'è questo pudore per il dolore e la sofferenza che lei e i suoi cari avete subìto?

«Perché, in qualche modo, di quanto ci è capitato in carcere e delle torture patite sappiamo che la vera vittima non eravamo noi o i nostri corpi, ma la dignità. La cosa più terribile della tortura sono le ferite inferte alla dignità umana, quando si arriva a provare vergogna di noi stessi. Non è il pudore a impedirci di parlarne, ma perché ci rendiamo conto che la sofferenza è una questione intima, molto personale. Una cosa è dire: "Io accuso, io sono passato attraverso queste vergogne, è stata una violazione dei diritti elementari dell'essere umano", un'altra descrivere nei particolari ciò che è accaduto. È quasi come quando una donna viene violentata e deve presentarsi davanti al giudice che la obbliga a raccontare quello che ha subìto.

«Noi che la tortura l'abbiamo conosciuta veramente siamo molto restii a parlarne. Sappiamo che dobbiamo conviverci, è una esperienza che non si cancella con la psicoanalisi o con l'aiuto di un medico. E quando ci guardiamo allo specchio e ne vediamo i segni, sappiamo che è accaduto, che non è stato un incubo, e vivere con questa esperienza non significa accettarla, perché è inaccettabile, ma capire perché è stato possibile che tutto ciò sia accaduto e fare in modo che non si ripeta mai più.»

– È stato in carcere per due anni e mezzo. La condanna era a ventotto. Le accuse?

«Tradimento della patria – l'imputazione più grave –, spionaggio al servizio di una potenza nemica, l'Unione Sovietica, e che altro? Oltraggio dei valori nazionali.»

– Cosa ricorda del giorno in cui è partito per l'esilio? Chi c'era a salutarla?

«È stata una giornata piena di confusione e di emozioni e fu l'ultima volta che vidi vivo mio padre; ecco: ricordo mio padre all'aeroporto. Eravamo separati da una vetrata e non potemmo parlarci. L'ultima immagine che ho prima di salire sull'aereo è quella di mio padre che mi dice addio levando il pugno.»

– E il giorno in cui ha avuto il permesso di rientrare nel suo Paese?

«Non me lo aspettavo. Andavo tutti i giorni al consolato cileno di Amburgo a chiedere se potevo tornare, e poiché mi rispondevano sempre di no, quando mi dissero che potevo farlo rimasi di sasso e decisi di tornare immediatamente a vedere cosa ne era stato della mia terra, cosa ne era rimasto.

«In realtà intrapresi quel viaggio con estremo timore, non dei militari, ma di quello che avrei trovato. Fu una grande delusione, perché del Paese che conoscevo, del Paese che avevo lasciato non rimaneva niente: la società e la cultura cilene, basate sul dialogo, sulla convivenza civile, sulla comunicazione – caratteristiche comuni ai tre grandi Paesi del Cono Sur, l'Uruguay, l'Argentina e il Cile – erano scomparse e i rapporti umani erano sporcati dalla sfiducia, dalla paura e da un interesse quasi commerciale.

«Erano scomparse le relazioni fondate sull'amicizia, sulla fratellanza, ed erano state rimpiazzate da una mentalità quasi mercantile, dall'idea di mantenere legami di amicizia secondo la loro convenienza, essendo ben certi che quello che si possedeva non corresse alcun rischio. Una grande delusione. Del Cile che ricordavo trovai qualcosa, ma soltanto nelle province del Sud o del Nord; ma Santiago, la *mia* Santiago, ormai non c'era più, esisteva soltanto nella memoria. La rivisito mentalmente, ma so che è impossibile tornare in quello che è stato il mondo della mia infanzia e degli anni felici: non esiste più.»

– Ne *Il vecchio che leggeva romanzi d'amore* lei fa una riflessione sull'esilio. Che cos'è?

«Quando ho scritto quel romanzo era per spiegare a me stesso che cos'era l'esilio. Forse perché provengo da una famiglia in cui è una costante. Mio nonno paterno era uno spagnolo che emigrò in Cile all'inizio del secolo. Poi ho avuto uno zio, figlio di questo nonno, fratello di mio padre, che combatté nelle Brigate Internazionali in Spagna e che, dopo la sconfitta della Repubblica, si rifugiò in Francia. E anche a me è toccato vivere in terra straniera. L'idea non è nuova, ma credo che l'unico modo per poterlo capire sia leggere l'*Odissea*: rendersi conto di che cosa significa per Ulisse la lunga lontananza da Itaca e perché, al suo ritorno, non potrà trovare mai più ciò che aveva lasciato. Questo è l'esilio.»

– Lei è stato guerrigliero. Fatta eccezione per Fidel Castro, tutti gli altri, mi pare, sono stati sconfitti. A che cosa è dovuto il fallimento della lotta armata?

«I fattori sono molti. La mia generazione, o una parte importante, si diede alla lotta armata non con l'idea di impadronirsi del potere e di costruire una nuova società dopo il trionfo della rivoluzione, ma per obbligare la borghesia nazionale a negoziare. Noi stessi trattavamo da una posizione molto forte, almeno dal punto di vista militare. Non abbiamo mai voluto vincere la guerra, volevamo arrivare a una situazione di *impasse* che obbligasse a scendere a patti. Perché abbiamo fallito? Prima di tutto perché credo che la visione che avevamo del continente latino-americano era molto idealizzata e perché non conoscevamo molte cose. Ad esempio, sapevamo pochissimo sulle realtà delle diverse etnie. Semplificavamo troppo, riducendo tutto alla lotta di classe tra sfruttatori e sfruttati. E invece la situazione era assai più complessa, più intricata e le contraddizioni erano molte di più di quelle che immaginavamo o che eravamo capaci di vedere. Credo che la lotta armata sia fallita perché non riuscimmo a dare voce a tutti i rappresentanti della società che volevano veramente un cambiamento. Gli interessi del proletariato di Santiago del Cile non erano quelli dei contadini dell'altipiano boliviano e gli interessi dei contadini dell'altipiano non erano quelli dei minatori del Sud o degli scaricatori del porto di Montevideo.»

– Per i giovani di mezzo mondo, il modello, l'idolo era Che Guevara. Oggi è scomparso dai cortei e dalla memoria. Cosa ha rappresentato?

«Il Che continua a essere un'icona, un simbolo universale. Credo sia l'uomo di maggior livello mondiale nato in America Latina. Era un medico e affrontò un viaggio iniziatico in moto con un amico e, a mano a mano che scopriva i Paesi del continente americano – il Cile, poi il Perù, la Bolivia, il Brasile, la Colombia, il Guatemala – avvertì una serie di contraddizioni fondamentali che gli fecero capire che lui era latinoamericano prima ancora che argentino.

«Quando arrivò in Messico conobbe Fidel, decise di unirsi alla rivoluzione cubana e si fece onore sia con le armi, sia per come elaborò l'ideologia della rivolta. Il Che, prima che un guerrigliero, fu un intellettuale di sinistra. Disprezzò sempre tutte le cariche di cui fu investito e il potere; si impegnò in un'impresa in Africa che si rivelò un disastro totale, come lui stesso riconobbe, e infine si lanciò in quella che sarebbe stata la sua ultima battaglia: una guerra di guerriglia che avrebbe dovuto avere come scenario il Nord dell'Argentina per trasformarlo in un fulcro di irradiazione politica per la Bolivia, il Cile e il Perù.

«Errori di calcolo – ma la storia non è stata ancora scritta del tutto – e tradimenti lo allontanarono dal luogo dove doveva recarsi, finì in Bolivia dove combatté con un gruppo di venti uomini contro l'esercito più potente del mondo, perché erano braccati dai Rangers nordamericani.

«Sarebbe stato molto facile deporre le armi e farsi prendere prigioniero. Se il Che si fosse arreso, lo avrebbero catturato, lo avrebbero portato alla capitale, a La Paz o a Sucre in Bolivia, e poi lo avrebbero liberato per dimostrare che la lotta armata era ormai superata, sconfitta.

«Ma la sua epopea ha un po' a che vedere con quello che siamo tutti noi latino-americani, perché siamo il compendio di tutte le culture del mondo, con i loro pregi e i loro difetti. Il Che è come Garibaldi, che nonostante tutti gli errori commessi non ha mai fatto un passo indietro, ma è sempre andato avanti: un'avventura dopo l'altra come se la dinamica stessa dell'impresa politica rischiosa potesse condurlo al nirvana della pace e della giustizia sociale.

«Il Che si è trasformato in simbolo perché è quanto di più vicino esista all'irriverenza che i latino-americani, prima di tutti, e i giovani di tutto il mondo hanno sempre considerato la virtù più esaltante. Il Che è il modello dei ribelli che saranno sempre necessari. Sono molto felice, pur essendo estremamente critico – in modo costruttivo – nei confronti del mio passato politico; sono felice quando vedo un ragazzo di quattordici anni che indossa una maglietta con il volto del Che. Quando gli chiedo chi era, mi risponde che è stato un rivoluzionario. "E che altro?" lo incalzo. "Mi basta questo," mi dice "mi basta sapere che era un rivoluzionario, un uomo che ha detto no perché ci sarà sempre bisogno di gente che abbia il coraggio di dire no."»

– Lei è di sinistra?

«Lo sono sempre stato, la mia cultura è di sinistra. Tutti noi maturiamo, il nostro pensiero politico va decantando: al mio si sono aggiunti alcuni elementi, come il problema dell'ambiente, quello femminile, che continua a essere irrisolto, quello dello sviluppo, di cui si parla sempre poco, e cioè qual è il modello di sviluppo accettabile che vogliamo per il mondo, uno uguale per tutti o modelli diversi a seconda delle regioni. In questo momento, in cui sembra che pensare non sia più necessario, io continuo ad avere un'ideologia di sinistra fondata sul pensiero classico ma che, contemporaneamente, ne rifiuta alcuni elementi come l'autoritarismo e il dogmatismo, e ne comprende altri che appartengono al vecchio pensiero anarchico, tutti elementi necessari al dibattito di cui ha bisogno l'umanità, perché è immorale accettare soltanto un modello di vita senza che ci venga permesso di proporne altri o di criticare quello che ci viene proposto come unico.»

– Per lei, il crollo del Muro e del comunismo che cosa hanno significato?

«Quando cadde il Muro di Berlino ero lì e fui testimone diretto dell'avvenimento. Fu una grande gioia perché avevano finalmente termine un mito atroce e una menzogna enorme: quella di presentare la Germania dell'Est come il paradiso dei lavoratori mentre era, al contrario, un campo di lavori forzati. Una società in cui il vicino spiava il vicino, una società che altro non era se non la continuazione del fascismo, ma con la bandiera rossa.

«Quando cadde il comunismo nei Paesi dell'Est fu per me un po' come vedere trionfare le idee che avevamo negli anni Settanta noi guevaristi, noi che ci sentivamo molto più vicini alle idee del maresciallo Tito, al movimento dei Paesi non allineati che al Big Brother, al "grande fratello" sovietico, a quel modello rigido e stalinista.

«Ma allora eravamo una minoranza e non potevamo fare niente contro l'apparato del Partito comunista che deteneva la "Verità" della sinistra. Ci limitavamo alla critica, che era sempre una grande provocazione, quando dicevano che l'Unione Sovietica era il paradiso del proletariato, che la Germania Democratica era la patria dei lavoratori, che la Bulgaria e tutti gli altri Stati dell'Est erano felici.

«Quando visitavamo qualcuna di quelle nazioni e poi tornavamo in Cile, dicevamo che non era vero, che erano invece dittature atroci che non volevamo per il nostro Paese. Sentirci affermare questo e trasformarci in agenti della CIA per i comunisti era un affare di un attimo. Vedere disgregarsi l'enorme menzogna mi diede una pazza felicità e, al tempo stesso, una grande preoccupazione perché quello che capitò a quei Paesi fu perfino peggio di quello che avevano dovuto subire prima. Quello che oggi avviene nell'ex Unione Sovietica è peggio di quello che accadeva quando il Paese era sottomesso a un regime poliziesco, vile, fascista rosso, mentre adesso è succube di un capitalismo mostruoso, primordiale, che non si fa garante neppure di quelle piccole cose che prima assicurava lo Stato totalitario.»

– Il fatto che il capitalismo, come lei dice, cito testualmente, «continua a essere la stessa merda» non significa che anche la scopa del comunismo non l'ha spazzata via?

«Credo che il problema consista nel fatto che il socialismo e il comunismo, così come furono attuati nei Paesi dell'Europa orientale, furono incapaci di elaborare una visione del mondo veramente alternativa a quella offerta dal capitalismo. Ne furono invece una brutta, una pessima copia. Adesso ci viene imposto il modello che ha trionfato con la fine della Guerra Fredda ed è quello del capitalismo rinnovato dall'economia neoliberista e che accentua il divario tra ricchi e poveri, scava più profondamente il solco della diseguaglianza.

«Assistiamo nel mondo a trasformazioni che non sappiamo ancora dove ci condurranno: lo vediamo già in Africa, dove ormai i confini geografici e politici non hanno più alcuna ragione d'essere, perché le guerre non avvengono tra Stati ma tra tribù.

«Assistiamo in Europa al sorgere di conflitti etnici che si sovrappongono a conflitti di classe e a conflitti di Stato, conseguenza del nuovo ordine mondiale. Prendiamo il Kosovo o quello che succede nel Caucaso, o quanto curiosamente avviene in alcuni Paesi europei, come ad esempio in Spagna, dove ciò che accade nelle regioni basche è un tentativo di imporre le squallide ragioni di una etnia a danno di un intero Stato, di una nazione e di una società.

«Credo che la pecca del comunismo sia stata quella di non essere mai stato sufficientemente ambizioso né generoso, ma molto mediocre, tanto da farmi affermare che se ci sarà qualcuno capace di offrire una risposta più nobile, sarà proprio questa nuova sinistra che sta nascendo soprattutto in America Latina.»

– Dicono che oggi nel suo Paese la gente vive meglio. È vero?

«È vero che un certo settore della popolazione cilena vive meglio, ma questa gente non ha mai vissuto male. Adesso la differenza tra ricchezza e povertà si è accentuata moltissimo e se la confrontiamo con gli anni passati è abissale. È come se esistessero due Paesi. C'è in Cile una specie di Muro di Berlino che non è costruito con pietra o mattoni, ma è fatto di ricchezza e denaro. Al di qua del Muro vivono i poveri, nei quartieri degradati, nelle regioni più misere, e al di là vivono i ricchi, nei posti più belli, nei luoghi con le maggiori possibilità di svago, di divertimento, di turismo. E questo in Cile si vede; esistono due classi, i semplici creoli, discendenti di spagnoli e indios, e i fortunati discendenti di tedeschi, svizzeri, inglesi, gallesi: quelli che hanno la fetta migliore della torta. Questa differenza è destinata a produrre terribili contraddizioni.»

MICHAEL CRICHTON
VIVERE PER SCRIVERE

Il luogo. La prima America l'ho conosciuta al cinematografo parrocchiale, con i film di Tom Mix, un intrepido cowboy che faceva tremare i banditi più degli sceriffi. Era quella delle grandi pianure, dei saloon e dell'avventura che si concludeva con un tenero bacio finale. Il Bene vinceva sempre sul Male.

Poi è venuto il tempo dei libri, e Jack London mi conquistò con la storia di Martin Eden, uno che voleva scrivere a ogni costo, morte compresa. Forse mi aiutò a scoprire una vocazione.

Dopo c'è stato Saroyan, poi Elio Vittorini – con *Americana* – ci ha fatto conoscere gli Usa più veri, anche crudeli, violenti, ed Hemingway mi pareva che assomigliasse a D'Annunzio perché amava le sfide, anche se rischiava la morte.

William Culbert Faulkner lo incontrai una volta che venne a Milano; alcuni amici mi portarono a pranzo con lui, al Savini, e in giro per la città. Doveva fare una conferenza. Aveva una giacca con i gomiti protetti da toppe di cuoio, fumava la pipa, pochi ebbero il privilegio di sentire la sua voce.

Ricordo gli occhi piccoli e socchiusi, e ricordo anche che non gliene importava nulla dei letterati, dei libri che gli facevano firmare e neppure di noi. Mangiò risotto e cotoletta, bevve vino rosso.

Annotai alcune frasi: «Vorrei essere un vagabondo. Perché sono andato a Hollywood? Perché mi davano dei soldi. Non scrivo mai cose che non mi sono accadute».

Ci sono alcune sue righe che possono essere considerate un testamento: «È mia ambizione di essere, in quanto semplice cittadino, cancellato, soppresso dalla storia, senza lasciare su di essa alcuna traccia, alcun cascame, niente altro che alcuni volumi stampati. Mio scopo è che il riepilogo e il racconto della mia vita siano racchiusi in una frase che sia anche il mio epitaffio: "Ha scritto dei libri ed è morto".».

Sono passato da Oxford, nel Mississippi; volevo vedere la sua casa, quello che ne era rimasto. Il suo nome figurava ancora nell'elenco del telefono, Faulkner William Culbert, 3-2-8-4, ma al 719 di Garfield Avenue non abitava più nessuno.

Le assi del piccolo patio di legno scricchiolavano, la cassetta per la posta era arrugginita, il recinto dei cavalli marciva. Sul comodino da notte, al motel, c'era un fascicolo dedicato alla città: abitanti 25.000, due alberghi, una stazione radio. I personaggi più importanti: Lynda Mead e Mary Ann Mobley, che furono elette Miss America, e due grandi tavole a colori ne documentavano gli evidenti meriti, e infine, con una foto ragionevolmente più piccola, un certo William Faulkner che nel 1950 aveva vinto un Premio Nobel.

Non amava i suoi concittadini e solo un droghiere, un lindo e sorridente ometto, riceveva le pacate confidenze di «Bill», poteva addirittura chiamarlo così, e la gente non lo considerava granché. Il signor Red, questo il suo nome, era il proprietario dell'emporio più fornito e, con uno stalliere e un professore, fu uno dei pochi amici dell'autore di *Luce d'agosto*.

Mi raccontò: «Veniva ogni giorno per prendere i giornali e un po' di tabacco. Chiacchieravamo di tutto, dei fatti della settimana, quasi mai di politica.

«L'ultima volta che lo vidi, due giorni prima della sua morte, aveva un libro che voleva spedire a una persona in Svezia; scrisse la dedica e io feci il pacco. Non gli importava niente del successo e non sprecava tempo a immaginare quello che gli altri potevano pensare di lui.

«Se William veniva a casa mia e si accorgeva che ero triste, mi metteva un braccio attorno alle spalle, non diceva niente. E ce ne andavamo a passeggiare, in silenzio.

«Quando non passava tutto il tempo a scrivere, usciva con i suoi cavalli, a correre, a saltare. Molto raramente andava al cinema o a teatro. Qualche volta, di sera, accompagnava la moglie a fare le spese. Ecco tutto».

Al cimitero, la tomba di William Culbert Faulkner (25 settembre 1897 - 6 luglio 1962) è sotto la collina, ed è la più brutta. Su una lapide, una frase dettata dalla moglie: «Amato, vai con Dio».

Mi piace andare a visitare le case degli scrittori; ho visto anche quelle di Čechov e di Tolstoj, aiutano a capire il loro mondo.

A Cuba andai a cercare quella di Ernest Hemingway: «È il luogo che amo più della mia patria» diceva.

A pochi chilometri dall'Avana c'è la Finca Vigía, la casa, che è diventata un museo. Era il suo rifugio: da qui si scorge la corrente del Golfo, e c'era il mare, e c'erano gli amici: un medico, il marinaio Gregorio Fuentes, il pescatore Anselmo Hernandez. È rimasto solo Gregorio, che ha sulle spalle un secolo di «puttana vita».

A Hemingway piaceva tutto: lo sgabello del Floridita, dove gli servivano il *daiquiri* ghiacciato, le lotte dei galli, il barocco di Plaza de la Catedral, che forse gli ricordava la Spagna, il ristorante La Terraza, dove gli preparavano la zuppa di pesce e quei quattro o cinque litri di vino che buttava giù a ogni pasto.

Qui venivano a trovarlo Gary Cooper e Spencer Tracy, qui Mary Welsh, la quarta e ultima moglie, gli aveva creato il mondo giusto per lavorare: scriveva in piedi, batteva su una vecchia Royal e intanto gli scodinzolavano attorno quattro cani che sono sepolti con rispettosa lapide nel giardino: Blackir, Negrita, Madrakos e Black Dog, e cinquantasette gatti.

Diceva: «Cuba mi ha sempre portato fortuna nello scrivere».

È guardando questo paesaggio che esplode – con gli infiniti tipi di mango o di lucertole e i piatti della cucina dei Caraibi: il cosciotto di porcellino arrosto con le banane fritte e il riso, e poi via con i cocktail, e magari con i balli: cha-cha-cha o la guaracha – che si consolava. Aveva imparato anche l'insulto più consueto: «Me cago en la puta madre». Quaggiù trovava la sua pace e guai se i teppisti tiravano sassi agli alberi.

Ma aveva un'ossessione: non morire nel letto, non soffrire, non fare soffrire. Si rincuorava con casse di whisky e Julien Green, che andò a trovarlo, visto il traffico, commentò: «Ora capisco per chi suona la campana».

Diceva: «Bisogna prendere le bottiglie per il collo e le donne per la vita». Ma pensava alla fine; e la simulava davanti agli amici: «Guardate come farò». Lo fece.

Il 15 maggio 1960 incontrò Fidel Castro, e penso che abbiano parlato di guerra; gli piaceva maneggiare i fucili forse, ha detto uno psichiatra, perché nella caccia e nelle corride trovava uno sfogo alla sua impotenza. Ballò per tutta una notte con Marlene Dietrich, ma non ci fu un seguito.

Ogni cosa è rimasta come quando Mister Papa era qui: le palme sono cresciute e il ficus ha le bacche rosse, nella stanza dove pranzava pendono alle pareti le teste tristi di un impala e di un cervo, c'è il manifesto di una «Grandiosa fería», una corrida con Dominguín e Ortega, 28 agosto 1933, c'è un tavolo gremito di bottiglie di liquori e la poltrona su cui riposava, con ricamata una scritta voluta dalla seconda sposa: «Poor old papa», povero vecchio.

Qui venne anche, con un fratello, il suo ultimo amore: Adriana Ivancich, veneziana. La conobbe nel 1947, quando gli era ormai difficile scrivere, si sentiva stanco e qualcuno pensava: «Non ha più niente da dire», ma lei, come riferisce Hotchner, il biografo, «rappresentava nella sua esistenza qualcosa di speciale».

Adriana aveva diciotto anni e lui cinquanta ed era «bella come un buon cavallo o un proiettile lanciato», paragone un po' ardito ma certo insolito. Pioveva, lei era ferma su una strada di fango, dalle parti di Latisana, e aveva bisogno di un pettine. Hemingway cercò nel giubbone di cuoio, ne trovò uno d'osso, lo spezzò e gliene diede metà.

Adriana amava leggere, dipingere, ascoltare, cominciava appena a vivere. «Aveva» scrive Hemingway «una pelle pallida, quasi olivastra, un profilo che avrebbe fatto battere il cuore a chiunque, e i capelli bruni di fibra vivace le cadevano sulle spalle.»

Così nasce il volto di Renata, la protagonista di *Di là dal fiume e tra gli alberi*, e si sviluppa la vicenda del vecchio colonnello Richard Cantwell che va verso la morte, ma che, incontrando la romantica e nobile fanciulla, vive «il suo ultimo, il suo vero, il suo unico amore».

Quando ho conosciuto Adriana Ivancich era la moglie di un uomo d'affari tedesco, era madre di un bambino e ne aspettava un altro. Stava in una villa sulla collina, vicino a Varese, nella brughiera.

Fuori era buio, una luce calma illuminava i ritratti degli

antenati, le ceramiche di Bassano, gli argenti, e la signora mi parlava di quello scrittore famoso e solo che le diceva: «Mi hai dato un soffio di vita, scriverò ancora un romanzo, il più bello».

«Sembrava» raccontò «ancora più vecchio, era forte, grosso, ma la barba era chiazzata di bianco; sulla faccia si vedevano i segni delle esperienze.

«Io ero appena una ragazzina e non capivo il suo dramma. Parlavamo di cose che ora non ricordo, chissà quante sciocchezze dicevo. Lui mi chiamava in tanti modi, *daughter*, figlia, o *partner*, socia. Avevamo fondato il Club della Torre Bianca. Membri onorari erano anche Ingrid Bergman, Ava Gardner e la Dietrich. Gli piacevano le persone attraenti e coraggiose, diceva che erano tre grandi donne. Mi chiamava anche *Black Horse*, Cavallo Nero. Fisicamente, certo, Renata sono io.

«Mi parlava anche della morte, ricordo, ma per riderci sopra, senza presentimenti, senza timori. Posso dirlo: era un uomo che aveva bisogno di aiuto, mi cercava, era anche buono, dolce, e desiderava rendermi felice.

«Mary, la moglie, capiva l'interesse che Papa provava per me, ma capiva anche che il mio non era amore, ma tenerezza, devozione, scoperta di un mondo. Allora non sapevo cosa c'era nel suo cuore, nel suo destino, cosa significava l'incontro di una ragazzina e di uno scrittore alla ricerca dell'ispirazione perduta in una Venezia autunnale, rarefatta, quasi disperata.

«Gli sono passata accanto senza conoscerlo. Mi ha scritto in cinque anni una settantina di lettere. Saranno pubblicate fra tanto tempo: allora nessuno di noi ci sarà più e varranno solo come pagine letterarie. Non era amore il nostro. Era come una foglia che ha trovato il ramo, una pianta che chiede rugiada.

«Un giorno Papa mi chiese di accompagnarlo verso la spiaggia, alla piccola baia di Cojimar. "Tu devi solo guardare l'oceano assieme a me" mi disse. Forse è stato il momento più intenso della nostra amicizia: quel cielo, i gridi dei gabbiani, il fragore delle onde, i pescatori che tiravano su le reti; lui taceva, aveva gli occhi pieni di lacrime. Allora sentii la sua grande tristezza.»

Lo hanno sepolto a Ketchum, Idaho, una fossa e una lapide con un nome, e sul fondo c'è un piccolo monte, pieno di arbusti e di felci.

«E adesso» dice un suo personaggio, un vecchio colonnello «andiamo oltre il fiume, e andiamo a riposare tra gli alberi.»

Più tardi Adriana lo ha seguito. È rimasta soltanto qualche sua poesia. L'ultima dice: «A questo grande amore / posso offrire soltanto il dono del mio cuore».

Il personaggio. Michael Crichton è alto quanto un buon giocatore di pallacanestro (2 metri e 5 centimetri). È nato a Chicago nel 1942, figlio di un giornalista. Di certo non ha una grande considerazione del padre che nel romanzo autobiografico *Viaggi* definisce «un figlio di puttana di prima grandezza».

In tutto il mondo si sono venduti 200 milioni di copie di suoi libri e hanno calcolato che i suoi guadagni annuali si aggirano sui 30 miliardi.

Si è laureato in antropologia all'Harvard College e ha pubblicato i primi racconti quando era ancora studente universitario. I suoi modelli letterari sono Zola e Jack London: lo appassiona la loro teoria della sofferenza, l'idea che l'uomo ha il potenziale di libertà di un angelo, ma è la realtà che ne fa uno schiavo.

Il suo primo romanzo, *Casi di emergenza,* storia di un medico che pratica aborti, vince addirittura l'Edgard Award. A ventitré anni, appena laureato, è incaricato di insegnare antropologia all'Università di Cambridge e comincia a scrivere *Andromeda,* immaginando una epidemia che arriva dallo spazio. Esce nel 1969 e solo l'edizione tascabile raggiunge due milioni di esemplari. Hollywood prende atto e gli incassi dei film, tratti dalle sue opere, negli anni Novanta superano gli 800 milioni di dollari.

Ha fatto anche il regista, ma ha abbandonato perché, quando è nata la figlia, ha capito che era «molto più importante vedere quando la piccola imparava a camminare che dirigere un film».

È autore della serie televisiva *E.R.,* ricostruzione dell'attività quotidiana di un pronto soccorso. Quando scrive, lavora per un paio di settimane sedici ore al giorno, consultando montagne di appunti.

Ha detto, polemizzando con i critici che lo stroncano inesorabilmente: «Potrei inventare con facilità un libro per entusiasmarli. Per milioni di persone invece è difficile».

Nel 1990 è uscito in libreria *Jurassic Park* che, portato sullo schermo, è stato considerato «il più grande successo cinematografico di tutti i tempi». Ha all'attivo anche quattro mogli.

L'incontro. – Signor Crichton, come risulta dai suoi libri, lei ha legami e interessi molto stretti con la medicina. Di che cosa soffre oggi l'America?

«Credo che chiunque abbia studiato ai miei tempi, una trentina di anni fa, era portato a credere che oggi gli americani avrebbero goduto di una salute ottima. È sorprendente constatare che non è andata così.»

– Che cos'è che influenza di più l'uomo: la famiglia, l'ambiente, la cultura?

«È difficile dirlo con sicurezza. Per me, la famiglia. Oggi però negli Stati Uniti è in atto un grande mutamento culturale che fa segnare il trionfo dei mezzi di comunicazione, in particolare di quelli audiovisivi. In questo momento la cultura assume un ruolo sempre più importante ed esercita un'influenza crescente sui giovani, i quali trascorrono più tempo davanti al televisore che a scuola.»

– Ogni tanto si dice che la famiglia è in crisi. Forse cominciò con Adamo. E oggi, perché?

«Quando ero giovane, in casa lavorava solo mio padre; mia madre era una casalinga e il suo unico compito era quello di far crescere i figli. Adesso entrambi i genitori lavorano e questo significa che i bambini non ricevono le attenzioni di una volta, sia dal punto di vista qualitativo sia da quello quantitativo; insomma oggi i bambini americani sono più abbandonati a loro stessi.»

– Che cosa ha portato la *new-age* nella società americana?

«Sarei tentato di rispondere niente. Gli Stati Uniti sono un Paese che si è ultrasecolarizzato, dove non c'è spazio per la religione; ma questa è indispensabile per l'uomo e quindi credo che sarà in qualche modo recuperata. Ad esempio, quando gli scienziati ricercano forme di vita extraterrestre, compiono, per così dire, un atto di fede. Da parte sua, il movimento *new-age* sta cercando di riportare tutta una serie di valori spirituali nella vita quotidiana.»

– Come spiega il proliferare delle sette?

«Le religioni che vedono aumentare il numero dei fedeli sono quelle fondamentaliste. Questo è vero per ogni Paese: è vero in Medio Oriente, è vero in America, è vero anche in Europa. Gli aspetti più rigidi, più dogmatici e dottrinali sono quelli che attraggono maggiormente le persone. Quando le cose mutano con la rapidità incredibile di oggi, la gente tende a tornare ai vecchi valori e a idee conservatrici.»

– Questa è l'epoca dei computer. Per la libertà è un'aggiunta o un rischio?

«Credo che la tecnologia presenti, al tempo stesso, elementi positivi e negativi e non è possibile scinderli: i vantaggi arrivano con gli inconvenienti. Ma il computer è soltanto il mezzo: la grande rivoluzione di questo momento storico è fatta da Internet, la Rete mondiale che collega tutti con tutti. Ma non credo che questo sia positivo.»

– Lei ha definito Internet «una divoratrice di anime». Perché?

«Internet ha molti aspetti. È la più grande fucina di bugie che ci sia mai stata nella storia dell'uomo. È una cornucopia di cattiva informazione, di errori, di mezze verità che si è sviluppata in modo sorprendente. La storia dei mass media comincia con l'invenzione della stampa, con la possibilità, di conseguenza, di poter pubblicare libri destinati a un gran numero di lettori e con l'opportunità di rivolgersi a un grande pubblico. Ma allora – e fino a oggi – c'erano editori, studiosi, persone consapevoli che potevano dire: "Questo è vero, questo è falso; questo è giusto e questo no; questo è assurdo e noi non lo pubblichiamo, non metteremo in circolazione queste frottole...". Adesso con Internet tutto questo non esiste più e tutti possono dire quello che vogliono. E questo è un grave problema.

«Le faccio un esempio. Un giorno mia madre mi ha telefonato in lacrime perché aveva letto su Internet che avevo un cancro. Il mio agente mi ha chiamato molto preoccupato per chiedermi come stavo. Non era vero, per fortuna, ma era su Internet. Qualcuno lo aveva scritto e qualcuno aveva pensato che fosse vero. Questa piccola esperienza, proiettata a valore esponenziale, è distruttiva perché noi siamo fatti non solo di carne e ossa, ma di ciò che crediamo. E oggi più che in ogni altro momento della storia, siamo esposti a più menzogne.»

– Cosa ha dato il progresso all'umanità e cosa le ha tolto, magari nel campo dei sentimenti e dell'innocenza?

«A dire il vero, non credo nel progresso: per me è un'idea dell'Ottocento, conseguenza del positivismo che presuppone che la vita quotidiana possa migliorare costantemente e che tutto ciò che a essa è collegato progredisca di pari passo. Ma, lo ripeto, non credo che sia vero. Penso che con ogni nuova innovazione tecnologica ci siano contemporaneamente guadagni e perdite. Credo, per fare un esempio, che attualmente i nostri rapporti con gli altri stiano seguendo una perdita. Oggi, sempre di più, le persone interagiscono con lo schermo del computer, stanno sedute per ore di fronte allo schermo; probabilmente, durante una brevissima pausa per il pranzo parlano con qualcuno, per poi tornare subito alla visione. Lo schermo, sempre lo schermo: questo non è un modo accettabile di vivere.»

– Cosa pensa della clonazione?

«La clonazione è attualmente al centro dell'attenzione mondiale, ma sembra anche che stiano sorgendo numerosi problemi anche con le pecore: pare che invecchino troppo in fretta. Per quanto riguarda gli esseri umani, non mi preoccupo troppo in fretta. Se esiste la possibilità di clonarli, è sicuramente molto remota.»

– La scienza è sempre al servizio dell'uomo?

«Non credo che lo sia mai stata. La storia della scienza e dei suoi sforzi non è sempre degna d'ammirazione. Per quanto riguarda la cura e la prevenzione di alcune malattie come, ad esempio, la poliomielite, che ha rappresentato un incubo per la mia generazione, il risultato è stato raggiunto. Ma lo stesso sforzo è stato applicato con la stessa metodicità per uccidere e per sterminare intere popolazioni. Se all'epoca dell'Olocausto i nazisti avessero avuto a disposizione il computer, l'avrebbero usato per uccidere in modo ancora più efficiente.»

– Non c'è un limite che la scienza dovrebbe porsi?

«Credo fermamente di sì. Trovo molto incoraggiante che negli ultimi anni numerosi scienziati abbiano detto: "Non farò questa ricerca, non seguirò questa pista: è troppo pericolosa"; oppure: "Non deve essere fatto". Nel passato dicevano: "Lo farò perché *comunque* qualcun altro lo farà, ed è inevitabile che ciò accada". Adesso gli scienziati sanno che possono rifiutarsi, dire di no.»

– Perché la scienza è da sempre al centro dei suoi romanzi?

«A causa degli studi che ho fatto, possiedo un *background* scientifico e quindi mi interessa. Quando ero giovane e leggevo romanzi pensavo: "Perché la scienza, che è così importante, non entra mai nelle storie?". La maggior parte dei romanzieri non aveva ricevuto, ad esempio, un forte impatto dall'avvento della bomba atomica e mi sembrava molto strano. Così pensai: "Qualcuno dovrebbe scrivere su soggetti scientifici". E lo feci.»

– Quando ha scoperto la sua vocazione letteraria, la voglia di raccontare?

«Ero molto giovane: dovevo avere nove, dieci anni. A scuola, in terza elementare, quando dovevamo scrivere delle brevi battute di due o tre righe per il teatro delle marionette, io scrissi nove pagine. Una favola lunga.»

– Ogni scrittore ha delle consuetudini. Simenon scriveva un romanzo in ventun giorni, poi andava a donne. Lei come si regola?

«Non sono così rapido come Simenon, né per quanto riguarda lo scrivere né per quanto riguarda le donne. Io non lavoro tutti i giorni. Ho cominciato questa attività quando studiavo medicina e potevo farlo soltanto durante le vacanze o in modo discontinuo. Per me è ancora così. Ora, ed è stata la stessa cosa per alcuni film che ho diretto, concentro il lavoro in periodi molto intensi, distaccato dalla famiglia, solo.

«Mi alzo molto presto la mattina e comincio a lavorare: prima alle sei, poi alle cinque, poi alle quattro e smetto di scrivere al pomeriggio, quando sono troppo stanco per continuare e allora sbrigo la posta, faccio un po' di telefonate, ceno e vado a dormire molto presto. E questo per circa cento giorni, fino al completamento della stesura.»

– Lei ha venduto duecento milioni di libri. Questa cifra le fa impressione?

«Sì, non posso negarlo.»

– Qual è il segreto della sua narrativa?

«Scrivo cose che mi interessano e sembra che ci siano altre persone appassionate ai medesimi argomenti. A volte comincio ponendomi alcune domande che poi diventano una storia, la trama. In questo modo, ad esempio, è nato il romanzo *Jurassic Park.* Come sarebbe il mondo se oggi ci fossero i dinosauri e noi ci trovassimo a tu per tu con loro? È divertente. Ma, in linea di massima, invento un problema particolare e i problemi di un certo tipo interessano i lettori.»

– La critica non la tratta con benevolenza. Le stroncature la feriscono?

«No, perché se si è molto popolari non si può essere bravi: è matematico. Quindi, quando ero giovane e conosciuto dai cosiddetti *happy few*, i miei libri ottenevano buone recensioni, poi a mano a mano che diventavo più noto, peggioravano. Ma io sono sempre lo stesso.»

– È più facile accontentare i critici o milioni di lettori?

«Preferisco piacere ai lettori. Ma negli Stati Uniti oggi i critici non sono molto importanti. Non lo sono per i film e non credo che lo siano per i libri. Sembra che abbiano perso la loro influenza; una causa possibile può essere Internet: le persone che vedono i film o leggono i romanzi scrivono le loro impressioni in Internet e la notizia viaggia nella Rete, cioè in tutto il mondo.»

– La vita americana che argomenti suggerisce?

«Questo è sempre stato un Paese molto aperto, un Paese che ha sempre creduto in una estrema libertà. Adesso ci sono attacchi contro questo atteggiamento usando l'arma del "politicamente corretto" che io considero una specie – e molto grave – di pensiero totalitario. D'altra parte, ci sono anche esempi di abuso della libertà. È un bilancio difficile da fare. La società sta cambiando molto rapidamente e i vecchi valori sono considerati superati e, di conseguenza, tutto è lecito. Credo che l'equilibrio tra libertà e restrizione sia oggi un problema molto importante negli Stati Uniti così come la *privacy*. La *privacy*, con Internet, diventerà in questo secolo uno dei temi più controversi in tutto il mondo.»

– Non c'è politica che non parta dalla tutela del nucleo familiare. In genere dopo Dio e dopo la patria. Ogni tanto se ne annuncia addirittura la fine. Ma perché è insostituibile?

«L'uomo è così da circa cinquantamila anni. Ha formato

la famiglia, ha educato i suoi figli, ha organizzato la società e questi metodi si sono consolidati in tradizioni. Molte persone pensano che tradizioni e morale siano come vestiti passati di moda e che di conseguenza si possano mettere in naftalina. Ma non è così.

«Questi sono valori che si sono consolidati nel corso di molte generazioni e attraverso una saggezza data dal tempo che dice: "Questo è il modo di fare le cose. Si potrebbero fare diversamente, è vero, ma il risultato non sarebbe altrettanto buono". Ecco, quello che oggi manca è la consapevolezza che i valori tradizionali sono stati costruiti come una qualsiasi tecnologia con attenzione e lentamente nel corso di generazioni. E così molte persone pensano di poter fare impunemente quello che gli piace. Sbagliano.»

– Lei ha definito suo padre, con poca cordialità, «un figlio di puttana di prima grandezza». Perché?

«Non mi sembra che per un bambino sia un fatto eccezionale avere in certi casi rapporti difficili con i genitori. Non credo di essere il solo e non penso neppure che sia così sbagliato. I momenti di difficoltà che ho vissuti in famiglia mi hanno spinto a diventare indipendente molto presto e ritengo che sia stato un fatto positivo.»

– Da Kafka a lei sono molti gli scrittori che ce l'hanno con i genitori. È un caso o c'è qualcosa in questo rapporto che può creare momenti conflittuali?

«Non penso che necessariamente uno diventi uno scrittore per il tipo di relazione che ha con i suoi. È anche possibile, ma una cosa è certa: se sei uno scrittore, scriverai di loro.»

– Nelle sue storie il bene trionfa sempre sul male. Perché?

«È quello che spero avvenga realmente.»

– Oltre alle guerre tradizionali, in questa società ce ne sono delle nuove? Mi spiego: economiche, industriali, scientifiche, sociali?

«Negli Stati Uniti, da almeno venticinque anni, abbiamo un grande problema che non è stato risolto e, secondo me, è ancora sottovalutato. Nel periodo immediatamente successivo alla seconda guerra mondiale in questo Paese era molto ricercata la manodopera non specializzata, ad esempio per le catene di montaggio dell'industria automobilistica che poteva impiegare molte persone e assicurava loro un buon tenore di vita e ottimi stipendi, pur non avendo una grande preparazione scolastica. Divenne una tradizione. Alcuni sceglievano di studiare, ma altri potevano prendere un'altra strada e guadagnare comunque abbastanza soldi e metter su famiglia. Oggi il lavoro non specializzato sta scomparendo in maniera crescente in tutto il mondo e particolarmente negli Stati Uniti. Però nel nostro Paese non educhiamo la gente nello stesso modo, non diamo loro lo stesso livello di istruzione e non insistiamo nemmeno per farlo: insomma, non assicuriamo a tutti un'istruzione ad alto livello. In questo modo stiamo creando una classe di gente povera molto numerosa.»

– La grande narrativa ha bisogno del dramma?

«Sì, ne ha bisogno; ha bisogno di conflitti. Secondo me in tutti i romanzi ci deve essere un contrasto, perfino in quelli umoristici.»

– Hemingway diceva a Scott Fitzgerald che la differenza tra loro due e i ricchi era che i ricchi avevano i soldi. Lei spesso li dipinge anche cattivi. Perché?

«Perché spesso è vero. I ricchi sono i personaggi preferiti di Jules Verne. È conveniente per un romanziere inventare un personaggio ricco perché costui può fare quello che vuole, è completamente libero di seguire i propri impulsi. Questo capita spesso con gli eroi di Verne. Scalano un vulcano e si calano nelle sue profondità. E perché possono farlo? Perché hanno molti soldi e possono permettersi di finanziare questa spedizione. Io ricorro nei miei romanzi ai ricchi per lo stesso motivo: sono liberi di fare quello che vogliono.»

– Lei non concede quasi nessun credito all'informazione americana che considera spazzatura. Perché? Il cittadino non sa quello che accade?

«Penso che la gente non abbia la minima idea di quello che succede. Questa, almeno, è la mia esperienza. Quanto più conosco un fatto a fondo, tanto più mi rendo conto che l'informazione data dai media è falsa. A volte, addirittura, non solo falsa, ma completamente all'opposto della realtà. E così la gente non capisce perché si è verificato un certo evento, quale sia il suo significato, quali le conseguenze; non si rende conto perché altre persone dovrebbero essere interessate a questo fatto. È sempre stato così con i media: non è facile essere precisi. Inoltre oggi negli Stati Uniti tutte le *news* televisive sono considerate intrattenimento e non c'è il minimo desiderio di parlare di ciò che è veramente importante. Si deve solo fare *audience*, in qualsiasi modo. Non parliamo di politica, ma di gare di bellezza sulle spiagge e questo è quello che tutti guardano.»

– Il numero degli americani che vanno a votare è esiguo. Sono sempre più distaccati dalla politica?

«Sì ed è preoccupante. Secondo me, ci sono molte ragioni. La situazione economica è molto buona e ogni volta che l'economia va bene la gente non vota. Ma si è allontanata soprattutto a causa della "pubblicità politica" che vende i candidati alla presidenza come un semplice prodotto, come una saponetta. E così molti pensano che la cosa non li riguarda.

«Ho avuto una conversazione molto interessante con alcune persone che hanno organizzato e impostato le campagne di democratici e repubblicani per le elezioni del 1996. Ero molto interessato ai problemi della droga e criminalità, come la maggior parte degli americani. Chiesi al portavoce di un partito e poi al suo collega cosa avrebbero fatto in proposito; la risposta fu: "Niente, non ne parleremo perché le nostre posizioni su questi temi sono le stesse".»

– La democrazia ha bisogno di grandi personaggi. Brilla con Churchill o con Kennedy e forse anche con Truman. Com'è la situazione nell'America di oggi?

«La mia sensazione è che l'immagine trasmessa dal presidente Clinton sia stata molto negativa, tanto che i sentimenti della gente nei confronti dei politici sono diventati estremamente cinici. Il rispetto per il presidente, per l'importanza della carica che riveste, per la conduzione del Paese, ecco questo atteggiamento di deferenza è svanito a causa di Clinton. Con il prossimo presidente le cose potrebbero cambiare positivamente.»

– Perché mantenere la pena di morte quando tutti i Paesi democratici dell'Occidente l'hanno abolita?

«Sarei sorpreso se tale stato di cose continuasse. D'altra parte, le difficoltà in un Paese come questo, che deve confrontarsi con molte sottoculture, sono diverse da quelle di una piccola nazione unita. Mi colpisce, ad esempio, il fatto che quando in un Paese europeo arriva un'ondata di lavoratori stranieri, come ad esempio i turchi in Germania o gli algerini in Francia, quando cioè arriva un'etnia che parla un'altra lingua, si veste in un modo diverso e si comporta in modo differente, improvvisamente nascano problemi.

«Due anni fa sono stato in Norvegia, uno dei Paesi più omogenei che ci siano, ma avevano manodopera straniera e c'erano parecchie difficoltà. Nuove difficoltà che non esistevano quando tutti erano uguali, si assomigliavano, si vestivano allo stesso modo e pensavano le stesse cose. Negli Stati Uniti, che sono un Paese molto grande, la vita a New York è diversa da quella dello Wyoming o della California – come quella in Germania rispetto a quella in Italia – e convivono molte culture.»

– A che cosa si deve la prolungata felicità economica degli Stati Uniti?

«Penso sia corretto dire che nessuno ne abbia la più pallida idea. La gente sembra saperlo, ma credo che nessuno lo sappia veramente; è un mistero. Ma tutti sono terrorizzati dall'idea che possa finire.»

– Come vede il futuro del suo Paese?

«Sono ottimista. Credo che il contributo americano alla storia del pianeta non sia stato sempre necessariamente positivo. Gli europei si lamentano perché gli americani sono sempre concentrati sugli affari, parlano solo di affari. Forse i cittadini Usa cominciano a credere di avere ragione. L'attuale intensità del rapporto con il lavoro risulta chiaramente dall'uso dei cercapersone e dei cellulari che tengono incessantemente in contatto la gente che lavora con gli uffici. Uno studio ha dimostrato che l'otto per cento degli americani, quando sono in vacanza, rimangono in rapporto costante con la loro azienda.

«Sarà interessante vedere cosa succederà negli Stati Uniti quando questo rapporto comincerà a farsi meno stretto.»

JEAN D'ORMESSON
DOLCE FRANCIA

Il luogo. È così per ogni Paese: ognuno ha la sua idea, e spesso è legata a un oggetto, a una parola, a una immagine, a un ricordo. La Francia? Le Gauloises, Brigitte Bardot, il Concorde, il Club Mediterranée, Marilyn Monroe che a chi le chiedeva cosa indossava per la notte, rispondeva: «Chanel numero 5», le *coq au vin* o una bottiglia d'annata di Romanée Conti.

O anche qualcosa di più nobile, si capisce: memorie storiche – la Rivoluzione, ad esempio, con la lucida follia di Robespierre, e il grido di Madame Roland: «O libertà, quanti delitti in tuo nome!» –, o visive: le ballerine di Degas; o una sequenza di un film di Renoir; il colloquio tra Pierre Fresnay ed Eric von Stroheim ne *La grande illusione,* per fare un caso: li divide la nazionalità e la guerra, ma appartengono alla stessa casta, usano lo stesso linguaggio, e si ritrovano; una poesia di Hugo imparata alle medie: «Waterloo, Waterloo, morne plaine», e poi Napoleone entra dappertutto.

E su ogni pensiero, ovviamente, Parigi. Una volta ero a Praga, in una triste domenica, e passeggiavo in piazza San Venceslao; in una vetrina era esposto un manifesto turistico e rappresentava la Tour Eiffel, due fidanzati che bevevano Pernod e tanti oleandri in fiore. Una piccola folla contemplava quel sogno in silenzio.

Parigi. C'è quella degli affari e quella dove ci si diverte, l'intellettuale e la politica, quella delle guide e la segreta. Qualcosa per tutti. Si può andare per mostre: Louvre, Petit Palais, Orangerie, Rodin, Grand Palais, Jeu de Paume, o al fantascientifico Beaubourg, al Museo dell'Uomo, o a quello delle Tradizioni, per giardini, per boschi, alle Tuileries o al Luxembourg o a Boulogne, per locali notturni, ai travestiti del Paradis Latin, o alle ragazze senza impacci del Crazy Horse, o per caffè, *bistrots, brasseries*: tutto, hanno detto, qui finisce a un tavolino, e alle Closerie de Lilas puoi inseguire l'ombra di Lenin, al Flore quelle degli esistenzialisti, alla Rotonde le bevute di Apollinaire, al bar del Ritz le sbronze di Scott Fitzgerald.

Affermava Irwin Shaw: «È una città del passato, e forse è anche per questo che puoi sempre ritrovarci un riflesso della tua vita». Ha scritto Hemingway: «Qualsiasi dono tu le portassi, ne ricevevi qualcosa in cambio».

Qui tutti hanno trovato un'idea o un rifugio: il russo Chagall, l'italiano Modigliani, il giapponese Foujita, e con Rouault hanno animato una scuola, e negli anni folli, quando Simenon faceva il cronista di «nera», e Jean Gabin il ballerino alle Folies Bergère, al 27 rue de Fleurus abitava Gertrude Stein; al 12 rue de l'Odéon apriva la sua libreria, e stampava l'*Ulysses* di Joyce, Sylvia Beach; al 14 rue de Tilsit stavano i Fitzgerald, e Zelda, già mezza matta, «occhi di falco e una bocca sottile», chiedeva a Hemingway: «Ernest, non credi che Al Jolson sia più grande di Gesù?».

È il momento degli americani: c'è Dos Passos, che va a frugare tra le bancarelle del lungo Senna; c'è Pound, che si dimostra un abilissimo falegname; e c'è Thornton Wilder, che ha già pubblicato *Il ponte di San Luis Rey*. «Era il più educato dei miei amici,» rievoca Sylvia Beach «piuttosto timido, mi faceva pensare a un giovane poeta, molto modesto.»

Si ritrovavano alla Sei Giorni, agli incontri di pugilato, alla rivista negra che lanciava le gambe infinite di Joséphine Baker, alle esposizioni e alle corse dei cani e dei cavalli: cercavano l'odore di foglie del Bois, il tubare dei piccioni che dai tetti ti sveglia ogni mattina, o la donna nuda sotto gli alberi del *Déjeuner sur l'herbe* di Manet, facevano anche qualche giocata al Tiercé, o andavano a riempire qualche ora alle aste dell'Hôtel Drout. Diventavano, e si sentivano, come gli «altri».

Se la nostra generazione non è cresciuta del tutto stupida, come sosteneva Federico Fellini, è stato davvero un miracolo e io penso che buona parte di questo prodigio lo dovevamo alla Francia. Ai suoi libri e ai suoi film: i romanzi populisti e i personaggi di Carné ci insegnarono a insinuare, fra le tante certezze del fascismo, il dubbio.

È stata per noi la patria del ragionamento e anche della speranza: quegli operai sconfitti che avevano vissuto le giornate del Front Populaire ce li siamo portati dietro. Adesso è almeno un appuntamento con la nostalgia.

Nell'introduzione a un libro sulla sua terra, Paul Valéry ammoniva: «Non ci sono nazioni più aperte né, senza dubbio, più misteriose, della francese».

Il carattere dei cittadini, dicono i sociologi, ha preso l'individualismo dai celti, dai romani l'amore per il diritto e l'ordine, dai germani il genio della costruzione e dai normanni lo spirito d'iniziativa.

Parigi vuol dire: moda; Sèvres e Limoges: porcellane; Nancy: specchi; Baccarat: cristalli; Besançon: orologi. La Francia ha il maggior numero di accademie, di premi letterari e di decorazioni: 83.

In questo Paese c'è una religiosità così varia di forme da non trovare paragone da nessuna altra parte. Monasteri, abbazie, parrocchie sono elementi insostituibili del paesaggio e segnano il carattere e il destino del popolo. Neppure gli atei, è stato detto, qui sono scettici. Quasi tutti i francesi vengono battezzati ed è una delle poche occasioni in cui entrano in chiesa.

Gli alcolici sono la terza causa di mortalità, dopo l'infarto e il cancro. Hanno da scegliere: Champagne, Bordeaux, Médoc, Borgogna, e poi Cognac e Armagnac.

Ha detto Hemingway: «Se hai avuto la fortuna di vivere a Parigi da giovane, poi ovunque tu vada questa esperienza ti accompagna fino alla fine, perché Parigi è una festa mobile».

Chi è il francese medio? Lo chiamano Monsieur Dupont, ma spesso prende il cognome dalla storia: Adam, David; o dalla geografia: La Fontaine, Montaigne; o dai mestieri: Pasteur, Charpentier.

Il personaggio. Jean d'Ormesson è nato a Parigi nel 1925. Letterato, autore di romanzi e di saggi. Accademico di Francia, suo zio Wladimir, fu ambasciatore francese presso la Santa Sede. È stato direttore del quotidiano *Le Figaro. A Dio piacendo* è uno dei suoi successi e il racconto comincia con queste parole: «Sono nato in un mondo che guardava indietro. Dove il passato contava più del futuro».

L'incontro. – In che cosa consiste oggi la *grandeur* della Francia?

«Direi che si tratta soprattutto di un ricordo, purtroppo

solo un ricordo; la Francia è stata una grande potenza, una grande nazione. Quello che resta oggi ai suoi abitanti è soprattutto una profonda nostalgia.»

– Delle ideologie che hanno segnato questo secolo – socialismo, comunismo, fascismo – che cosa è rimasto?

«Una storia. Io penso che, in realtà, il nostro è stato il secolo dei nazionalismi, del comunismo, del fascismo. E noi abbiamo vissuto questi avvenimenti e queste concezioni del mondo e ne siamo stati colpiti nel profondo; sono però assolutamente convinto che fra cento, duecento, trecento anni, il XX secolo non sarà più considerato come il secolo delle ideologie; piuttosto apparirà, nella sua prima metà, come quello della fisica teorica, con i suoi studi complessi sfociati in qualcosa di molto concreto: la bomba atomica; mentre per quanto riguarda la seconda metà, sarà considerato il secolo della genetica, che ha portato anch'essa a qualcosa purtroppo di altrettanto concreto: la clonazione e le manipolazioni genetiche.»

– Che cos'è ancora vivo del passato?

«Lei sa che, in un certo senso, il passato non muore mai e il futuro non ama troppo dovere diventare presto passato. Forse avrebbe anche potuto chiedermi che cosa resterà vivo del futuro, il futuro molto presto diventerà, infatti, a sua volta, il passato. Lo vediamo tutti i giorni.»

– Perché il marxismo, secondo la sua definizione, era «demoniaco»?

«Perché si è trattato di una speranza immensa. Perché è stato un atto ispirato all'umanesimo e perché ha rappresentato la fede di milioni e milioni di uomini. Il risultato è stato una disperazione che si è sovrapposta a una speranza sconfinata.»

– Oggi da chi è rappresentata la destra in Francia, e che cosa propone?

«Non è un segreto per nessuno che oggi la destra in Francia attraversa una crisi profonda; non è rappresentata da qualcuno in particolare, ma da un tale coacervo di persone che non si sa più chi davvero ne sia il simbolo. Io credo fondamentalmente che la Francia sia un Paese molto conservatore, ma sta attraversando una crisi profonda perché non ha più programmi e ha troppi capi.»

– E il proletariato?

146

«Sarebbe molto interessante studiare per chi votano gli operai. Io ritengo che la proporzione degli operai che votano per la destra sia maggiore rispetto ai borghesi che fanno altrettanto.»

– E in che valori crede la borghesia?

«Tutta la nazione, nel suo complesso, è diventata borghese, la Francia è interamente immersa nella borghesia. E questo potrebbe anche essere considerato uno dei suoi problemi.»

– Il francese medio che cosa sogna?

«Di potersi permettere una propria macchina. Un'auto, un'alimentazione raffinata, le vacanze... Il dramma del gollismo è stato che, in particolare ai tempi del generale De Gaulle, ha cercato di far vivere il Paese leggermente al di sopra delle sue possibilità e aspettative. Ed è stato come una sorta di sogno a occhi aperti; ecco, oggi ci siamo destati da questa illusione.»

– L'aristocrazia oggi che funzioni ha?

«Nessuna.»

– I socialisti che volevano anche rivoluzionare i costumi, ad esempio, il matrimonio, da chi sono rappresentati adesso?

«Quello che trovo molto interessante è che il socialismo non molto tempo fa intendeva, e questa è stata un po' la formula di François Mitterrand, cambiare la vita. Il socialismo voleva rompere con il capitalismo. Abbiamo ascoltato Mitterrand, l'abbiamo visto in televisione: si trattava di farla finita con l'economia di mercato e il capitalismo. Si trattava di cambiare radicalmente la vita.

«Ebbene, mai come allora il capitalismo ha funzionato meglio del socialismo, mai come allora l'economia di mercato ha trovato un terreno migliore...»

– A proposito di Mitterrand, chi è stato? A suo tempo lo accusavano di *esprit florentin*, di machiavellismo.

«Se ne è parlato moltissimo. Credo sia stato Mauriac ad aver parlato dello "spirito fiorentino" di Mitterrand. In Francia, quando si dice "spirito fiorentino", viene subito in mente Machiavelli. Lo spirito fiorentino è piuttosto complicato. Io avevo proposto di soprannominare Mitterrand non tanto il "Fiorentino" quanto il "Veneziano", dal momento che lui ha sempre amato molto Venezia. Ma è vero che Mitterrand è stato una personalità complessa e io credo che anche i suoi amici, soprattutto i suoi amici, riconoscano che si è trattato di un uomo assai complicato, dalla personalità estremamente complessa.»

– Lei è al centro di una polemica con gli eredi di Mitterrand. È vero che ce l'aveva con la lobby ebraica?

«Prima di tutto vorrei precisare che ormai più nessuno dubita che Mitterrand abbia pronunciato le parole che io ho riportato. Ci sono testimonianze molto numerose. Nessuno nutre più sospetti al riguardo. Non credo che fosse antisemita, tuttavia non dobbiamo dimenticare che nel corso della giovinezza Mitterrand è stato un uomo di destra, un acceso anticomunista, molto legato all'Algeria francese. E che nelle vesti di ministro della Giustizia ha legato il suo nome ad alcune celebri esecuzioni capitali. E che ha vissuto in un ambiente in cui l'antisemitismo non era certo assente. A volte, come sa anche lei, ci sono ritorni di fiamma.»

– La perdita dell'impero coloniale che ripercussioni ha avuto?

«Prima di tutto ha prodotto uno shock molto forte sulla coscienza nazionale. I francesi hanno subìto tre o quattro grandi colpi terribili – anche gli altri Paesi ne hanno dovuti affrontare –, ma in Francia si è trattato di una specie di iterazione spaventevole.

«Innanzitutto il crollo del 1940. Non c'è stato nessuno che si sia arreso nel giro di tre settimane. Anche la Germania è stata sconfitta, ma sono stati necessari cinque anni per farla capitolare. E poi c'è stata la Liberazione, che ha significato un giorno di gloria e di felicità, ma che ha aperto la via a problemi diversi e difficili e, subito dopo, ci sono state le guerre d'Indocina e d'Algeria.

«È stato un trauma così violento che, a mio parere, la sinistra non avrebbe mai potuto acconsentire all'indipendenza dell'Algeria: sarebbe stata spazzata via. C'è stato bisogno dell'intervento di De Gaulle, di un uomo della destra, che provvedesse a liquidare quanto restava dell'impero coloniale. Penso che questo fosse scritto nella storia, fosse un passo inevitabile e necessario. Ma si è dovuti ricorrere a De Gaulle, ed è stato un colpo tremendo per la coscienza nazionale.»

– Da noi si diceva: «Parigi è sempre Parigi». Oggi Parigi cos'è?

«Be', io direi che Parigi è sempre Parigi perché gli italiani continuano a venirci. Ecco tutto.»

– Lei è stato anche direttore de *Le Figaro*. Cosa ricorda di quell'esperienza?

«Ci sono due cose che ho sempre voluto fare: scrivere libri ed essere direttore di un giornale importante. Bene, sono stato direttore di un giornale come *Le Figaro* che, anche se *Le Monde* è più considerato a livello internazionale, è – ed era così anche ai miei tempi – uno dei due più autorevoli quotidiani francesi. Vede, io penso che essere direttore di un giornale di quell'importanza conti più che essere ministro. Per me è stata un'esperienza straordinaria; pesante, difficile, ma assolutamente affascinante.»

– Lo rifarebbe?

«Assolutamente no. La mia tesi è che il sogno de *Le Figaro* è proprio quello di esserci stato. È quello di averlo fatto. Mi ha appassionato moltissimo anche se, chiaramente, mi ha impedito di dedicarmi alla carriera di scrittore come avrei voluto. E questa libertà ritrovata è per me molto importante.»

– Come ha vissuto il Sessantotto e che cosa ha significato?

«Nel corso degli anni Sessanta, c'era un certo numero di giovani esaltati che volevano, anche loro, cambiare la società. E in qualche modo ci sono riusciti, perché questi rivoluzionari oggi sono diventati, per la maggior parte, manager di importanti aziende, direttori di giornali, vivono nel lusso, ricoprono cariche importanti nel ministero dell'Istruzione. Io credo che il giudizio più profondo che sia stato pronunciato sul Sessantotto appartenga a Miklos Jancso. Si trovava alla finestra e c'era un corteo di giovani che scandivano slogan rivoluzionari proprio sotto casa sua. Lui, a sua volta, gridò: "Voi diventerete tutti notai". Può anche darsi che non per tutti sia andata così, ma la maggioranza di loro ha raggiunto posti di rilievo.»

– L'immigrazione è sempre un problema o lo avete risolto?

«L'immigrazione si pone fra due estremi. Il primo è rappresentato dalla solidarietà internazionale. Siamo tutti cittadini del mondo e io non faccio differenze, o ne faccio pochissime, fra coloro che provengono dai Paesi poveri e coloro che vivono in quelli ricchi.

«Ma c'è anche l'esigenza di evitare di "libanizzare" il nostro Paese. Qualunque sia l'idea che uno ha della dignità umana, è impossibile accogliere tutti i diseredati. Non è stato un uomo di destra a teorizzare questo concetto, ma uno di sinistra. È stato, infatti, Michel Rocard a dire: "È impossibile accogliere tutta la miseria del mondo". L'Italia non può accogliere tutti i rifugiati albanesi. La Germania non può accogliere tre, quattro, cinque milioni di turchi. E anche la Francia si trova nella medesima situazione.

«Allora ritengo che sia necessario tenere sempre bene a mente le esigenze della dignità e dei diritti umani, ma nel rispetto degli equilibri: si tratta certamente di uno dei problemi più difficili del nostro tempo. D'altra parte vediamo quello che accade dove convivono culture molto diverse: finiscono con lo scontrarsi violentemente.»

– Lei ama il mio Paese: come vede la situazione italiana?

«Ai nostri occhi l'Italia è un Paese meraviglioso. Non riesco a capirlo perché lo Stato è ancora più debole che da noi, ma questo sembra non avere alcuna importanza. Voi sbrogliate tutte le situazioni in modo straordinario. Ricordo quanto ha detto il sindaco di Napoli – mi pare fosse proprio lui – in occasione di una sua visita. Aveva spiegato in televisione che Napoli era la città italiana che produceva la maggior quantità di guanti, ma che in tutta la città non ce n'era una sola fabbrica. Tutto questo grazie al lavoro "nero". Per questo dico che l'Italia è una specie di miracolo. È il trionfo del genio dell'individuo che supplisce all'incapacità dello Stato.»

– Entrare all'Académie Française ed essere proclamato «immortale» è ancora il massimo dei riconoscimenti?

«Noi siamo immortali per tutta la durata della nostra vita! Dopo siamo un pugno di polvere esattamente come gli altri. Comunque è molto interessante perché i francesi sono molto conservatori e credo che l'Académie mantenga il suo prestigio come tutte le antiche istituzioni. Perché il Premio Nobel è più considerato rispetto all'Académie? Io penso che, in fin dei conti, quello che è importante sia scrivere un buon libro, con o senza l'Académie, con o senza il Premio Nobel.»

– Chi sono le figure che contano nella letteratura francese di questo secolo?

«Con questa domanda mi obbliga a tenere una breve lezione di letteratura francese. Si possono distinguere tre grandi epoche, anche se è chiaro che ogni tempo ha avuto i suoi autori. La prima è quella del Classicismo, e allora posso citare Pascal, Descartes, Corneille, Racine, La Bruyère, La Fontaine, Molière, Saint-Simon... Questo straordinario periodo culmina nel XVIII secolo con Montesquieu, Voltaire e Diderot, che sono ancora classici ma che, in qualche modo, si ribellano al Classicismo.

«La seconda epoca è il XIX secolo: con i romantici, con autori come Hugo, Musset, Vigny, Baudelaire, Rimbaud, Lautréamont, Chateaubriand. Tutti questi nomi rappresentano il medesimo ideale letterario e io sostengo che Lautréamont discende da Chateaubriand.

«E, infine, la terza, anch'essa ricca di grandi maestri: quella a cavallo fra le due guerre, con personaggi come Proust, Céline, Aragon, Saint-John Perse, Mauriac, Montherlant, Maurois, Giraudoux, Valéry. E questo periodo si conclude, purtroppo, con la seconda guerra mondiale.»

– Il suo modello, se esiste, chi è?

«Non saprei. In letteratura direi che più di tutti mi sento vicino a Chateaubriand, che è stato senza dubbio un personaggio eccezionale e che è all'origine di molte cose. I due ultimi secoli sono stati influenzati da Chateaubriand e Chateaubriand lo conoscono tutti perché è autore di massime altisonanti, a volte molto lunghe, sebbene anche capace di sintesi molto brevi e fortemente icastiche.

«Per citarne una fra le tante: "Bisogna essere parchi del proprio disprezzo, dato il gran numero di persone che ne necessitano".

«Si potrebbe dire la stessa cosa anche di Proust; lei sa che Proust ama le frasi lunghe, ha la fama di creare situazioni che non finiscono mai, ma è anche autore di frasi molto brevi e altrettanto meravigliose: "L'amore è lo spazio e il tempo resi sensibili al cuore".»

– Da un punto di vista religioso, lei come si considera? Vorrei chiederle anche cosa pensa di Bernanos.

«Bernanos appartiene alla grande scuola di scrittori cattolici che ha plasmato personaggi come Péguy, così ingiustamente attaccato oggi, ma che è stato un grande scrittore, ha reso famosi anche Claudel, Mauriac, Léon Blois, insomma un gran numero di autori che sono stati sia scrittori cattolici sia, in seguito, cattolici che si dedicavano alla scrittura. Quindi erano prima di tutto cattolici e, in un secondo tempo, scrittori.

«Allora, se mi è permesso di fare di tutta l'erba un fascio, cosa che talvolta accade per gli scrittori cattolici, direi che è un onore troppo grande per me, non posso certo farmi passare per uno di loro. Direi piuttosto che sono uno scrittore che si colloca all'interno di coloro che sono seguaci di san Tommaso che affermava: "La fede non è che la forma della mia speranza".

«Prendiamo Sartre: era assolutamente convinto del fatto che Dio non esisteva, mentre Claudel era sicuro che Dio esiste. C'è una frase di Claudel che giudico meravigliosa e che suona così: "La tolleranza: ci sono case addette a ospitarla". In francese, come in italiano, l'espressione "case di tolleranza" significa "bordelli", non è vero?»

– Certamente.

«Allora anche lei può comprendere a fondo la frase di Claudel. Per quanto mi riguarda, mi trovo nella stessa condizione di moltissime persone: non sono stato illuminato da nessuno, Dio non mi ha provato la sua esistenza. Tutto quello che posso dire è che spero fortemente che esista. Perché se esiste, anche se naturalmente il mondo è terribile, sappiamo che è stato lui a crearlo (e che catastrofe!).

«Ma se invece non esiste, è ancora peggio perché, in questo caso, non si tratta soltanto di un disastro, ma di una assurdità innominabile. In quest'ottica sarebbe anche impossibile suicidarsi perché se Dio non esiste, il suicidio in sé non avrebbe alcun significato: sarebbe un'assurdità all'interno di una assurdità più grande. Tutto quello che posso dire è che spero ardentemente che Dio ci conceda la grazia di esistere.»

– Una volta il Café de Flore e La Coupole erano la meta di chi voleva incontrare gli intellettuali francesi. Oggi dove si va e chi si trova?

«Io direi che i caffè letterari sono un ritrovo che ha patito il trascorrere degli anni più ancora dell'Académie. L'Académie è oggi un po' fuori moda, ma i caffè letterari lo sono sicuramente ancora di più. Allora dove si va oggi se si desidera parlare di letteratura? Ma a casa mia, per esempio. Lei mi viene a trovare e possiamo parlarne. Esiste un'altra associazione che ha un po' rimpiazzato il salotto letterario delle signore che ricevevano, che ha preso il posto del Café de Flore o de Les Deux Magots, ed è *Apostrophe*, la trasmissione televisiva di Bernard Pivot, che ospita il fior fiore della cultura. Solo che invece di ospitare dieci, venti o trenta invitati, ne ospita un milione, due milioni... tutti ad ascoltare Pivot... Non ho nulla contro Pivot, mi piace molto e penso che non sia un insulto dire di lui che è il vero successore di Madame du Deffand e dei salotti letterari del XVIII e XIX secolo. Ma la brutta notizia è che Pivot ha annunciato di voler mettere fine alla sua trasmissione, e così scomparirà anche lui come i salotti letterari.»

– Oggi, a distanza di più di mezzo secolo, come è giudicata la figura di Pétain?

«È una domanda che solleva numerosi problemi. Il suo è stato un destino tragico: per molto tempo fu considerato il "padre della patria" ed è da un tempo altrettanto lungo giudicato – ancora oggi – un traditore. È un problema, credo, che rimane insoluto.

«Sarà possibile dare una risposta corretta a questa domanda fra cento o forse duecento anni, perché oggi non è possibile farlo.

«Vorrei dire tuttavia che, per quanto mi riguarda, sono stato un antipétainista. Avevo dodici, tredici anni, non ero certo in grado di valutare alcune conseguenze e non mi interessava neppure, ma sono stato antipétainista nel luglio del 1940. Altri, personaggi di primo piano, hanno cominciato a esserlo nel 1942 o nel 1943, quando era già un po' tardi.

«Nel 1943, sapevano tutti che Hitler era finito. Invece nel 1940 non lo si sapeva ed è per questo motivo che nutro ben poca stima per coloro che hanno cominciato ad aderire alla Resistenza nel momento in cui la guerra era ormai vinta. Bisognava essere idioti per non capire che Hitler era già sconfitto. Invece nel 1940 la Francia intera era pétainista. Allora, invece, io ero contro: non voglio attribuirmi chissà quali meriti, dal momento che anche mio padre e mia madre erano antipétainisti; entrambi molto conservatori, decisamente a destra, ma antipétainisti, e questo era in quei giorni piuttosto difficile.

«Non si può giudicare Pétain oggi, bisogna calarsi nella mente delle persone che hanno vissuto nel 1940: non avevano più nulla. Non avevano più niente. Non avevano più la Francia, non avevano più la Repubblica. E chi ha messo fine alla Repubblica? È stata la Camera dei Deputati. E da chi era mai costituita questa Camera dei Deputati? Era la Camera del Fronte Popolare, ovvero la stessa che aveva votato per Pétain. Allora si può ben capire che le cose sono molto più complicate di quanto sembri. Bisogna calarsi negli anni di Pétain o aspettare duecento anni per poter rispondere alla sua domanda.»

– Come viene giudicato, invece, De Gaulle?

«Prima di tutto, mi sento in dovere di dirle che lei fa questa domanda a un gollista. De Gaulle, a mio parere, è il più grande uomo di Stato francese del XX secolo: penso che De Gaulle sia l'unico che si collochi sulla linea di Richelieu, di Colbert, di Robespierre, di Giovanna d'Arco, di Clemenceau. È stato senza alcun dubbio una personalità eccezionale.

«Con questo non intendo dire che ha sempre avuto ragione: ha compiuto azioni sulle quali si può certamente discutere. Ma per quanto riguarda quello che ha detto, ha sempre avuto ragione: stiamo parlando di un personaggio che, nel 1940, ha affermato che "Hitler ha vinto perché possedeva carri armati e aerei, ma noi avremo più carri armati e più aerei di lui e vinceremo", o ancora: "Abbiamo perso una battaglia, ma vinceremo la guerra": era un genio.

«È stato inoltre un uomo eccezionale: ha avuto la forza e il coraggio di concedere l'indipendenza all'Algeria... Solo lui poteva resistere a Hitler. È un uomo che, nel clima odierno, è quasi inimmaginabile. I soli interessi che gli stavano a cuore erano quelli della Francia, e quando partiva per i fine settimana, mentre era presidente della Repubblica, pagava di persona la benzina.

«Questo è un piccolo esempio che può però far comprendere la grandezza dell'uomo: è stato un personaggio formidabile, non so come meglio definirlo, e non so lui come giudicherebbe gli eventi attuali.»

– Ha detto anche «La France c'est moi». La Francia sono io.

«Sì, ma lui è stato la Francia. Bisogna ricordare che ha detto "La Francia sono io" in un momento in cui la nazione era a terra, era in ginocchio, non esisteva praticamente più, era svenduta dai collaborazionisti. Allora ha pronunciato queste parole. E la Francia era veramente lui. Non voglio dire con questo che la Francia debba essere per sempre gollista: credo che il gollismo oggi sia superato. È finito, ma ha rappresentato qualcosa di grande. E resto molto colpito quando vedo che coloro che hanno attaccato violentemente De Gaulle quando era vivo, l'hanno coperto di elogi subito dopo la sua morte.»

– Di lui cosa rimane?

«Direi la grandezza, o meglio il tentativo di riportare la Francia al suo splendore. Si trattava chiaramente di un tentativo quasi impossibile. Resta il fatto che è riuscito a dire di no a Hitler, a dare una certa immagine del Paese e a portare a termine un compito terribile come quello della decolonizzazione. Un'impresa di proporzioni gigantesche.»

– Chi erano i collaborazionisti e che cosa ne è stato di loro?

«Nel giugno del 1940 la Francia era con Pétain. Che cosa c'era d'altro? A partire dal momento in cui è apparsa la figura di De Gaulle, la gente ha cominciato a dire: "Ehi, ma c'è qualcuno che resiste!" e tutta la storia della guerra si esplicita nella caduta di Pétain e nell'ascesa di De Gaulle. Per quanto riguarda i collaborazionisti, quelli veri, penso che ce ne siano stati molto pochi: ma ce ne sono comunque stati anche in Francia, ed è stato più o meno così in tutta l'Europa occupata. Sono parecchi gli esempi di bassezze e di viltà, molte le denunce anche di ebrei, ma ci sono state anche moltissime persone che li hanno salvati. Quelli che gli ebrei chiamano "i giusti": persone che mentre il popolo ebraico veniva perseguitato dai tedeschi hanno cercato di salvarne quanti più potevano.»

– Cosa rappresenta la Francia oggi in Europa, e che potere ha?

«Io amo la Francia, ma deve comunque sapere che sarei immensamente felice di essere italiano. Ammiro non soltanto l'Italia, come molti francesi, ma anche gli italiani. Ci sono molti francesi che dicono: "Ah, l'Italia è meravigliosa, ma gli italiani...".

«Per quanto mi riguarda, adoro l'Italia e gli italiani. D'altronde io sono un po' italiano. Ma, ripeto, amo la Francia, credo che sia un grande Paese, credo che la sua unica possibilità di salvezza non si collochi in una specie di paranoia che recita: "Noi siamo la Francia, siamo il più grande Paese del mondo!". Non pronuncerei una frase del genere, ma neppure: "Noi siamo la Francia, non siamo più assolutamente nulla!". Credo che i francesi dovrebbero dirsi: "Ciò che salverà la Francia sarà il cambiamento".

«È necessario che la Francia si ritrovi nell'Europa, è necessario che la Francia cominci a insegnare quel che ha da offrire di meglio e tenti di permeare l'Europa del genio francese, come l'Europa sarà permeata dal genio italiano, che non è certo di esigue proporzioni, e da quello tedesco, che non è proprio irrilevante. È necessario che tutti questi Paesi siano fieri di se stessi e offrano la propria collaborazione all'Europa. Se l'Europa non è un po' italiana, non è un po' tedesca, non è un po' francese non potrà mai valere niente.»

– Che rapporti avete oggi con i tedeschi?

«Io li ammiro e li amo. Tutti sanno che si sono resi portatori di qualcosa di tragico, di qualcosa di spaventoso. A volte mi sono domandato: "Ma i francesi non sarebbero potuti essere anch'essi portatori di qualcosa di terribile? E i russi, grande popolo, non sono stati anch'essi portatori di qualcosa di terribile?".»

– E l'Italia?

«Mussolini è stato una catastrofe, tuttavia non posso certo metterlo sullo stesso piano di Hitler e di Stalin. Mussolini deve essere posto, al limite, sullo stesso piano di Pétain: persone che hanno fatto scelte sbagliate e che non hanno avuto il coraggio di dirsi: "Bisogna cercare di salvare una certa immagine dell'uomo".

«Avranno pur fatto scelte sbagliate, ma non hanno certo provocato quelle tragedie di cui invece sono stati responsabili Hitler o Stalin.»

KENZABURO OE
ALL'OMBRA DELL'ATOMICA

Il luogo. Per me il Giappone è una favola: fatta di incontri, di immagini, di ricordi. La signora Rommel, la vedova del feldmaresciallo Erwin, che mi mostrò la *katana* da samurai, un dono di qualche ammiratore di Tokyo al grande soldato; i film di Akira Kurosawa, quel mondo semplice e fiero, o quelli di Yasujiro Ozu, visti in un giorno di autunno in un cinemino di Parigi: una vicenda di una poesia straziante, figli e genitori che sempre più si allontanano e i vecchi vanno, nella solitudine, verso la morte.

Il suicidio dello scrittore Yukio Mishima. Come è difficile per noi capire le loro leggi dell'onore (il *bushido*): la morale cristiana protegge la vita. Come il culto che professano per il lavoro, la loro tradizione del sacrificio, il diverso concetto di peccato, di trasgressione, che per noi comincia con Adamo ed Eva.

Ho visto il Fujiyama, la montagna sacra: io sono nato sotto la cima del Corno alle Scale, tra faggi e castagni, e non ci sono divinità tra i boschi, che una volta furono rifugi di banditi o di perseguitati.

Girando il mondo ho scoperto che tutti gli uomini piangono e pregano nella stessa maniera: i rosari dei bonzi hanno i grani più grossi di quelli che usano i pellegrini di Pompei.

A Tokyo c'erano migliaia di bar e i riverberi delle luci al neon ferivano, nella notte, il cielo di perla. Con pochi yen si poteva entrare in squallidi locali dove qualcuno degli spettatori, dietro invito, poteva salire su una specie di palcoscenico rotondo e una ragazza lo spogliava con garbo, gli sistemava, piegandoli bene, gli abiti, faceva il contrario con il sesso ridestandolo con qualche abile carezza, lo proteggeva con un profilattico.

Poi balzava sopra il predestinato e, a tempo di musica, in

un silenzio rispettoso e teso per non turbare la cerimonia, gli faceva dono, tra gli applausi della platea, di una asettica gioia. Il beneficato teneva gli occhi chiusi, non so se per favorire la concentrazione o per la vergogna, mentre l'amante dei cinque minuti sorrideva ebete e compiaciuta.

Dicono che gli arabi apprezzano se l'ospite, alla fine di un banchetto, testimonia con qualche rutto la sua soddisfazione. I compiti mugolii del maschietto esprimevano il suo piacere.

Molta gente, a Roma, è andata a vedere la mostra fotografica di Yoko Yamamoto, un artista giapponese che ha cercato di fissare in una ventina di immagini la rassegnata vita delle geishe, quelle fanciulle destinate a consentire qualche piacevole svago a benestanti in cerca di tradizionali evasioni.

Una volta, a Tokyo, andai con un collega inglese a visitare uno di quegli accoglienti locali dove ragazze che indossavano il chimono, e avevano il volto coperto da una crema bianca, e i capelli lucidi e nerissimi, miagolavano tristi e per me incomprensibili canzoni. Una serata, direi, inevitabile. Non si passa da Firenze senza dare un'occhiata al campanile di Giotto o da Milano senza assaggiare il risotto. Mi spiegarono che era un breve viaggio nel passato e nella cultura.

La sensualità per i giapponesi è, giustamente, un fatto privato e, non essendo religiosi, almeno secondo le nostre convenzioni, non è peccato.

Le geishe sono delle professioniste e la loro è considerata una vera e propria arte. Gentiluomini esperti si impegnano, dietro incarico della padrona del locale, a istruire le illibate nelle raffinatezze amatorie. Il compito delle signorine è, soprattutto, sollevare lo spirito del maschio: io ne uscii, forse per la mia partecipazione distaccata, fortemente depresso.

Ci togliemmo, come si usa, le scarpe e ci sedemmo per terra e sentivo che, con molte probabilità, sarei rimasto anchilosato per sempre.

La sala, ricordo, era adorna di paraventi di seta dipinti: montagne e ruscelli, voli di gazze e di candide colombe, e il pavimento era ricoperto da quelle stuoie che chiamano *tatami*.

Entrarono le fanciulle con le faccine ovali di porcellana, il chimono intonato alla stagione, fiori di pesco e giaggioli, il trucco assurdo e pesante, le labbra segnate da un rosso sanguigno, le parrucche di un vago rococò. La più giovane cantava una nenia accompagnandosi con una specie di chitarra. C'era in quegli inchini, nei gesti misurati, qualcosa di lezioso: tutto ispirava armonia, tranne il fatto che ero costretto a stare accosciato.

Le donne mi sembravano tracagnotte e forse, sotto quelle sete fastose, nascondevano gambette corte e muscolose. Pensai a Pinkerton e a Madame Butterfly senza spiegarmi – ma è certo colpa della mia superficialità – quella smodata passione.

Mi annoiavo: a un tratto cominciò a cadere la pioggia, era la stagione dei monsoni, e le gocce calde battevano sul tetto di lamiera e fu la sola nota allegra.

Una fanciulla venne a sedersi accanto a me: aveva l'aria estatica delle figure femminili disegnate da Utamaro e mi fissava. Forse capiva la mia tristezza. Considerai una fortuna il fatto che non potevamo parlarci.

Pare ora che le brave signorine siano in crisi: colpa dell'economia che rende ancora più complicati, e soprattutto costosi, gli incontri.

Oltre al fastoso cerimoniale, che contempla fiori e decorazioni, indumenti dedicati alla circostanza, la nota veramente negativa è provocata dallo yen: va impiegato con prudenza, non speso in piacevolezze.

Il personaggio. Chi è Kenzaburo Oe? Nasce nel 1935, in una piccola città sull'isola di Shikoku. Discende da una antichissima famiglia di samurai. Da bambino viene coinvolto dal fervore e dalla propaganda della seconda guerra mondiale.

«Facevamo esercitazioni in classe per addestrarci a morire in nome dell'imperatore-Dio – il Tenno –, armati di inoffensivi bastoni di bambù.»

Ha dieci anni quando il 6 agosto del 1945 la bomba atomica viene sganciata su Hiroshima e tre giorni dopo su Nagasaki.

«Della bomba, dell'orribile fungo, delle radiazioni che avrebbero continuato a uccidere per anni e anni, dei sopravvissuti che ne avrebbero portato i segni per sempre, venni a sapere solo molto tempo dopo. Come tutti, del resto. Quel giorno mia madre, al ritorno dal bosco dove raccoglieva erbe medicinali per la gente del paese, disse, assai impressionata, di aver visto in direzione di Hiroshima una grandissima luce.»

Quando la guerra finisce, e Oe ascolta l'imperatore Hirohito alla radio, realizza che il suo grande eroe è soltanto un uomo. Questa disillusione influenzerà la sua vita e la sua scrittura. «Ricordo quando ci trovammo a casa di un vicino per sentire la voce dell'imperatore-Dio che usciva dalla radio dirci che avevamo perso, che avremmo dovuto rassegnarci, "tollerare l'intollerabile, sopportare l'insopportabile". Il fatto che potesse avere una voce umana, e per di più disturbata e gracchiante, fu per me, e credo per tutti, uno shock persino superiore alla notizia della disfatta.»

Quando ha diciassette anni si trasferisce a Tokyo per poter frequentare l'università. Scopre la letteratura e si confronta con la grande narrativa e il pensiero occidentale attraverso l'esistenzialismo e l'impegno sociale di Sartre. Qualche anno più tardi milita nella Nuova Sinistra, fa inchieste sul pericolo atomico e attua uno sciopero della fame per la liberazione del poeta sudcoreano Kim Chi Ha.

I suoi primi racconti brevi sono incentrati su quella che Oe stesso definisce «la mitologia del mio villaggio». Quello che sente è che sta perdendo ogni legame con il Paese natale. Con il romanzo *La preda* vince il Premio Akutagawa, il Pulitzer giapponese. Nel libro si racconta la vicenda di un ragazzo disorientato in un piccolo paese dopo la capitolazione del Giappone.

Nel 1963 nasce il figlio Hikari, handicappato mentale. Da quel momento Oe comincia a scrivere storie che hanno come tema il dramma di famiglie con un figlio minorato, come il suo romanzo più noto *Un'esperienza personale*. In questo libro si parla di Tori-bird, un uomo oppresso dalle responsabilità familiari a cui nasce un bimbo menomato. Il tema (che è anche una metafora del Giappone uscito dalla guerra e dall'esperienza della bomba atomica) diventa quello della vergogna e della dannazione esistenziale fino alla presa di coscienza e alla decisione di non essere più un uomo in fuga dalla realtà.

Oggi il figlio di Oe è compositore di musica classica e autore di alcune incisioni.

Nel 1994 arriva il Premio Nobel ed è Hikari ad accompagnare il padre a Stoccolma. In seguito Oe rifiuta una delle più alte onorificenze giapponesi, il Bunkaku Shô, Premio per la letteratura. Ha militato in tutti i movimenti per la democrazia ed è sempre stato molto critico verso la politica del governo.

Sull'atomica e sul Giappone ha detto: «L'atomica è stata sì la fine della guerra, ma anche l'inizio di una corsa al nucleare che è anche una continua minaccia per tutta l'umanità particolarmente sentita nel nostro Paese. Un Paese estremamente vulnerabile, con la gente costretta a prendere la metropolitana con la paura quotidiana dei gas, la cosiddetta "atomica dei poveri". La voglia di apocalisse della setta religiosa Aumshinrikyo mi pare sia un modo di esorcizzare il disastro imprevisto anticipandolo con coscienza, con il metodo e l'onnipotenza della follia».

E a proposito degli Stati Uniti: «Devono chiederci scusa per gli attacchi nucleari, soprattutto ai bambini che vivono o vivranno nelle città colpite. Anche se nessuna scusa riuscirà a consolare le vittime di Hiroshima e Nagasaki».

L'incontro. – Signor Oe, come può spiegare il significato della parola atomo?

«Trovo molto affascinante questa idea dei filosofi greci secondo la quale ci sono piccoli elementi indivisibili denominati "atomi" che formano il mondo.

«William Blake, il mio poeta preferito, disse: "C'è il mondo intero negli esseri umani e negli atomi e questo pensiero è l'azione dell'immaginazione". Io sono d'accordo con questa idea. Però noi abbiamo avuto l'esperienza della bomba atomica e di conseguenza abbiamo dovuto ammettere che l'atomo contiene anche la tragedia assoluta dell'umanità. Ritengo che questa sia la disgrazia di questo secolo.»

– Parliamo del Premio Nobel: come ha cambiato la sua vita?

«La mia vita è davvero cambiata. I lettori sono subito aumentati: sia in Giappone sia all'estero. Ultimamente però sono diminuiti e il mio desiderio è che le mie opere più importanti siano tradotte e che i lettori europei continuino a esserne interessati.»

– Come può smettere di scrivere uno scrittore?

«Ho cominciato a scrivere a ventidue anni e avevo l'intenzione di smettere prima dei sessanta per poi esaminare me stesso: quale vita ho avuto? Che tipo di persona sono stato? Che genere di scrittore?

«Ho smesso alcuni anni fa, a cinquantotto, e ora leggo molto e penso a queste cose.»

– Per lei, per la sua vita, chi è suo figlio Hikari?

«Hikari per me è molto importante. Apprendere che era handicappato mi fece pensare che non ci fosse più nessuna speranza, nessun sogno. Però mi sbagliavo completamente: al contrario la mia letteratura e la mia vita sono proprio un dono di Hikari.»

– Quando Hikari è nato, lei aveva chiesto due certificati: uno per la nascita e uno per la morte. Perché?

«Un mio amico medico mi aveva detto che il bambino non aveva quasi nessuna possibilità di sopravvivere. Ma anche nel migliore dei casi sarebbe vissuto come un vegetale, con enormi problemi. Per questo avevo chiesto due certificati. Però, ripensandoci adesso, a quell'epoca ero davvero un degenerato, un depravato. Ancora oggi continuo a provarne vergogna.»

– Che cosa è la musica e che cosa significa per suo figlio?

«Per mio figlio la musica è tutto. All'inizio non riusciva a capire gli altri. Ma poi, quando aveva sei anni, è riuscito a sentire il canto degli uccelli, poi la musica, poi cominciò a reagire alle parole delle persone, e adesso riesce a rispondere a domande semplici. Sapere che i bambini handicappati giapponesi comprendono la musica di Bach, Händel e Schubert mi ha condotto a credere negli esseri umani.»

– Quando è nato, come poteva accettare la sua presenza, così insolita, e come ha trovato la forza di sperare?

«All'inizio ero veramente sconvolto. Però, quando ho cominciato a vivere con lui, non avevo il tempo di lamentarmi, non potevo più essere costernato, non potevo permettermi di soffrire. Questo è il nostro problema e noi stessi dobbiamo trovare la soluzione. E superando le difficoltà giorno dopo giorno, la speranza ha cominciato a farsi vedere. Lo scrittore cinese Lu Hsun, che in Giappone è molto stimato, ha detto: "Davanti agli uomini non c'è la strada, ma basta cominciare a camminare e la strada appare". Lo stesso vale per la speranza. Penso di averlo provato in prima persona.»

– Parliamo del problema nucleare: quali cambiamenti ha prodotto la bomba atomica nella vita del Giappone e nella sua?

«La bomba atomica è stata sganciata su Hiroshima e su Nagasaki e molte persone sono morte. Molte altre stanno vivendo un'esistenza tragica. Però la cosa più importante per i giapponesi è che, anche se distrutta dalla bomba, molta gente è riuscita a ricominciare a vivere. Ha cercato la via per riprendersi e ha ritrovato un nuovo valore umano. Questo è un fatto di cui noi giapponesi dobbiamo ricordarci. Ma purtroppo molti se ne stanno già dimenticando. Io ho continuato a scrivere ponendo sempre al centro delle mie opere il fatto che i giapponesi sono riusciti a riprendersi dopo l'olocausto.»

– La paura del nucleare è viva ancora oggi?

«Ovviamente sono presenti ancora molte malattie anche ereditarie causate dalle armi nucleari e molte vittime stanno ancora soffrendo. I giapponesi sono consapevoli di tali tragedie ed è per questo che sono molto spaventati dal fatto che nel mondo ci siano ancora ordigni atomici. Penso che per loro questo sia un problema politico, sociale ed etico.»

– Cosa prevede per la vita degli esseri umani nei prossimi dieci anni?

«Credo che il XX secolo sia costituito da cento anni in cui è stato ucciso un numero sterminato di persone. Se continuiamo di questo passo nel XXI secolo ci estingueremo. Ma nutro una speranza. Nel XX secolo molti uomini hanno sofferto: Tianjin, Auschwitz, Nanchino e anche ai giorni nostri il dolore continua. Pertanto credo che l'umanità troverà una nuova strada per sopravvivere. Credo che i miei figli la troveranno. Penso che la letteratura esista proprio per questo.»

UMBERTO ECO
CARA ITALIA

Il luogo. «Oh! les italiens», dicono i francesi. Non si sa se la frase sottintende ammirazione, o vuole anche dire: «Sono capaci di tutto».

«L'Italia» ha scritto Giuseppe Prezzolini «è un Paese fragile.» È vero, ma mi sembra le si possa anche attribuire un giudizio che correva su Antonio Segni, un vecchio presidente della Repubblica: «Ha una precaria salute di ferro».

Resiste a ogni assalto e di ogni guaio dà la colpa alla fatalità. Saltano dighe, straripano fiumi, falliscono banche, evadono o fuggono mafiosi o dinamitardi, delude un risultato elettorale, e la colpa viene di solito addebitata, come proclamò l'onorevole socialdemocratico Saragat, «al destino cinico e baro». Ma siamo o non siamo i padri del melodramma?

Cittadini di una Repubblica «fondata sul lavoro», ma risultiamo ai primi posti nelle classifiche degli scioperi.

Oggi, l'italiano cresce in statura e vive più a lungo: settantatré, circa, l'uomo; quasi ottanta, le donne. I friulani sono i più alti, i sardi sempre bassotti.

Il nostro compatriota campa anche meglio, viaggia e legge, si diverte, ma paga il benessere con lo stress. Così molte coppie non reggono alla tensione e si separano.

Cambia il costume, si modificano i gusti, spariscono mestieri, sapori, convenzioni, ma la morale resta sempre la stessa: immutabile e anche assai meschina.

Sono nato quando gli uomini portavano il cappello e in ogni casa c'era il macinino da caffè e la macchina per cucire Singer. Quando la mia famiglia da Pianaccio si trasferì a Bologna, dove mio padre aveva trovato un lavoro, il trasloco dei pochi mobili venne fatto con un biroccio trainato dai muli. Il viaggio durò due giorni.

Sono andato a Washington con il Concorde, durata della

traversata, da Parigi, due ore e quaranta. Il tempo di servire il pranzo: usavano posate d'argento, ma hanno dovuto ripiegare su metalli meno nobili quando si sono accorti che tra i ricchi ci sono troppi collezionisti.

Il Censis ci informa di ogni cambiamento: io ho posseduto una radio a galena. La rete del letto faceva da antenna e a ogni movimento dalla mia cuffia spariva la voce. C'è oggi chi vive con quattro televisori: bagno, soggiorno, studio, cucina. Che ossessione: e c'è chi vorrebbe un giorno, ogni settimana, senza immagini. Ma non è già stato inventato il pulsante?

La bistecca era una conquista, non una consuetudine. Adesso la «fettina», come la chiamano a Milano, è una regola: magari con gli steroidi che aiutano a soddisfare il bisogno di carne e di praticità e che provocano qualche variazione del sesso. Ma nessuno è perfetto.

No, la tanto rievocata stagione delle mille lire al mese, che anticipava quella dei bollini e delle sirene d'allarme, non fu molto felice: c'erano i treni popolari – che arrivavano in orario –, le colonie marine, il caffè dell'Harar, la festa della Madre e del Fanciullo, i film dei «telefoni bianchi»: tutti i divorzi si celebravano a Budapest, capitale dell'Ungheria, degli amori infelici e dei cornuti.

La famiglia era certamente più unita, perché legata dal bisogno, e l'autorità del padre indiscussa. Più reddito ha significato anche più indipendenza. Due guerre hanno reso la donna libera: è entrata nelle fabbriche, negli uffici, si mantiene con il suo lavoro e, se resta sola, provvede anche ai figli. Beneficia di due invenzioni straordinarie che hanno inciso sulla sua condizione: la lavatrice e la pillola.

Ci sono meno discriminazioni: di *status*, di guadagno, tra maschi e femmine. La televisione ha fatto per la nostra unità più di Garibaldi e di Cavour: ci ha dato un linguaggio e un costume comuni. Il grande sviluppo economico non ha coinciso con altrettanto progresso morale: siamo scontenti della classe dirigente, diffidiamo di quella politica. Mentre il Nord si avvicina sempre di più alla Svizzera e alla Germania, tre regioni del Meridione sono umiliate dal degrado e dal crimine e sembra che appartengano a un altro Paese. È un tempo dominato dall'opportunismo, dal cinismo e dalla paura.

Il peccato più grave per questo popolo di cattolici è sempre quello antico: il sesso, che è tabù, costrizione, sgomento. Ci hanno cresciuti ed educati con l'ossessione dei richiami erotici: questa era la patria del «delitto d'onore», del «matrimonio riparatore», del mammismo, del «vizio solitario» che provocava, dicevano, la cecità (ma la percentuale di orbi mi sembra ragionevole), e del linguaggio ipocrita, che però ha subìto una profonda trasformazione: i due che prima erano «legati da un'affettuosa amicizia» adesso «fottono»; la «madre in attesa» è una che è rimasta incinta; e a farsi friggere, ormai, ci vanno solo i pesci, notoriamente sprovvisti di culo.

Per tanto tempo due erano le trasgressioni da condannare: le gambe delle donne e la tessera del Pci. Resta sempre il traviamento più praticato: il letto; sono arrivato alla conclusione che l'inferno dev'essere una incredibile stanza senza pavimento e senza arredi.

Una rivista è andata a chiedere a quasi novanta preti che cosa raccontano i cosiddetti «penitenti», che in genere non sono dei ravveduti. La maggioranza va a confidare vicende libertine, scappatelle, rapide evasioni o insistenti corna, fantasie casalinghe o avventure contrastate.

Nessuno, spontaneamente, parla di tasse evase, di ricevute fiscali non rilasciate, di bustarelle date o ricevute, di bilanci truccati: rubare ai grandi magazzini è addirittura considerato un esercizio sportivo.

Trattare male i dipendenti, sfruttare la politica per il proprio interesse, mentire all'elettore (qualche volta anche gli onorevoli si inginocchiano e chiedono l'assoluzione) sono sbagli o cadute che non vengono neppure presi in considerazione.

Lungi da me la tentazione di fare la classifica dei comandamenti, dato che il mio pseudonimo non è Dio, ma condivido l'idea di Tolstoj che ambientava i drammi più sconvolgenti sotto le lenzuola, però mi stupisco che nel Paese della mafia e di associazioni analoghe, degli appalti e delle imposte ingiuste, la gente consideri un'offesa al Signore e agli uomini solo la concupiscenza. Mi sembrano una visione della vita e un concetto dell'onestà molto deformati.

È probabile che ognuno di noi sia tollerante verso debolezze nelle quali si riconosce: ma io capisco più qualche concessione alle tette che alle tangenti. Credo che tutti avvertano la differenza che passa tra un ladro e un libertino: che di solito non ruba, ma scambia e riceve.

La tendenza nazionale è sintetizzata in una parola: «arrangiarsi». In un prezioso libretto ripubblicato da Elvira Sellerio, *L'Italia rinunzia?*, Corrado Alvaro scriveva: «Pochi italiani sono arrivati a capire che il male di uno è il male di tutti, e per uno che soffre la prepotenza e la malvagità, tutto il popolo finisce per soffrirne».

Dalle denunce dei redditi non si direbbe. Pagano solo i lavoratori dipendenti, anche perché non possono farne a meno, ed è su di loro che il fisco si accanisce.

Certo, l'Italia è un Paese complicato. Già al tempo dell'unità nazionale c'era qualcuno che si poneva il problema: «Come faranno a intendersi se al Nord chiamano uccello quello che al Sud chiamano pesce?».

L'Italia è la sola nazione al mondo che include nel proprio territorio due altri stati: la Città del Vaticano e la Repubblica di San Marino. Oltre al potere ufficiale, ce ne sono altri meno evidenti: il Cupolone, che simbolizza la Chiesa cattolica, e la Cupola che raffigura la mafia.

Guai però se non ci fossero i preti e le suore che provvedono ai drogati, agli extracomunitari, ai malati di Aids, alle scuole che funzionano e ai ricoverati del Cottolengo.

Il numero degli abitanti è vago: c'è un milione di cittadini che compaiono nelle statistiche, ma non esistono nella realtà.

Avevamo il secondo Partito comunista, dopo quello russo: sparito, ma nelle ultime elezioni amministrative si sono presentate 18 liste. Siamo in testa.

L'Italia è considerata «il Bel Paese»: 700 musei (assai complicato, spesso, poterli visitare), 30.000 chiese, 20.000 castelli. È anche ritenuto «il Paese del sole»: ma Venezia è più fredda di Londra e più calda di Casablanca, a Cervinia cade più neve di quanta se ne vede nella *tajgà* siberiana e Manchester ha un clima più mite di Milano.

Una occhiata a come ci hanno descritto in passato i grandi viaggiatori stranieri.

Per Montaigne, filosofo e moralista, i romani sono bei tipi la cui principale occupazione consiste «nell'andare a spasso nelle vie».

Montesquieu, l'illuminista, sembra quasi la controfigura di Bossi: «A Roma uomini vili sono preposti alle alte cariche».

Torino piace a Chateaubriand che la trova nitida e regolare: però «ha un'aria triste».

James Fenimore Cooper, l'autore de *L'ultimo dei Mohicani*, scopre che a Bologna «ci sono due brutte torri di mattoni, inutili», mentre gli vanno a genio i vagabondi di Napoli: «Non è facile incontrarne più felici».

Venezia, sempre secondo Montaigne, è gremita di puttane, «utilissime» perché con i proventi del mestiere «fanno guadagnare i mercanti». A Bologna, per questo schizzinoso osservatore, si parla il peggiore dialetto, mentre i genovesi «non sono affatto socievoli» e questo deriva, ovviamente, «dalla loro estrema avarizia», mentre risulta evidente la «pigrizia dei napoletani». Va bene ai sardi, che sono «intelligenti»; ai nobili fiorentini, «affabili»; consoliamoci con Goethe – «Noi tutti siamo viaggiatori e cerchiamo l'Italia» – e Flaubert ha l'impressione di averla trovata in gran forma: «Tutto è allegro e facile». Non sempre, per la verità.

Ogni città ha il suo simbolo: Torino la Mole, Milano il Duomo, Venezia il Ponte dei Sospiri o Piazza San Marco, Verona l'Arena o la falsa tomba di Giulietta, Ravenna Sant'Apollinare o la falsa leggenda del bellissimo Guidarello, Napoli, direi, più che il Vesuvio la pizza.

Abbiamo nella Marsica gli orsi come nei Carpazi, in Sardegna le foche come nella banchisa polare; i licheni come in Lapponia, e il papiro a Siracusa come in Egitto.

Non esiste un italiano modello: c'è il tipo dinarico, il tipo padano (contento, Bossi?), il tipo alpino, che ha la testa larga, mentre il sardo invece ce l'ha piccola. È il peggiore lettore d'Europa, forse battuto dal portoghese e dal greco. Forse.

Una statistica ha stabilito una volta che ogni 800 italiani uno è presidente: del condominio, della Pro Loco, di una qualche confraternita di mangioni. Siamo i più severi nel deprecare gli evasori fiscali, ma non abbiamo mai votato una legge per mandarli in galera; siamo quelli che viziano di più i bambini, ma adesso ci siamo accorti che esistono anche i pedofili.

Neppure lo spaghetto ci unisce: ogni posto una ricetta: alla puttanesca, all'amatriciana, all'assassina, ai sette mari.

«L'italiana non è una nazionalità» commentava Ennio Flaiano «ma una professione.» Che non richiede però molti studi: la si eredita.

Non parliamo neanche nello stesso modo; sul vocabolario, per indicare un certo frutto, c'è scritto «mela», nel Veneto lo chiamano «pomo», in Calabria «milu», in Sicilia «pumo» e in Lombardia «pomm».

Si narra che nel Risorgimento, durante la battaglia di Curtatone e Montanara, ci fu uno scambio di schioppettate tra piemontesi propriamente detti e altri provvisoriamente aggregati, venivano dal Sud e con quelli di Chivasso o di Saluzzo non si capivano.

Adesso ci intendiamo benissimo e continuiamo a spararci addosso. Ogni categoria ha il suo gergo: l'aereo del viaggiatore diventa aeromobile per il personale di bordo, i politici devono «portare avanti un discorso» o «gestire la crisi». Chissà che fatica.

Abbiamo anche dei primati: il quadro ritenuto più prezioso è stato dipinto da un toscano, Leonardo. Il più insigne poliglotta di tutti i tempi è un bolognese: il cardinale Giuseppe Gaspare Mezzofanti. Sapeva tradurre 114 lingue e ne parlava correttamente 39. Il più antico teatro coperto è l'Olimpico di Vicenza, opera del Palladio.

Italiani, brava gente. Non solo perché questa è la terra di Leonardo o dell'Alighieri (gli spermatozoi percorrono itinerari misteriosi: basta un chilometro e uno nasce francese o austriaco), ma per quello che un intero popolo è riuscito a fare nei secoli.

Al figlio Manfred, che nutriva ragionevoli dubbi sulle nostre qualità guerriere, il feldmaresciallo Rommel rispose: «Senza di loro non ci sarebbe stata la civiltà».

È quel sentimento collettivo che ha fatto liberare i servi della gleba, costruire, dalla gente, quella meraviglia che è il Duomo di Orvieto, fondare a Bologna la prima università del mondo (seguita da Padova e Parigi); quell'impeto che faceva scrivere su un muro di Roma occupata: «Annatevene tutti, lasciatece piagne da soli».

A Bologna la Wehrmacht affisse un manifesto: «Cinque chili di sale a chi denuncia un partigiano». Mangiarono insipido.

È quella generosità che a un Paese reso cinico dagli intrighi, dai sotterfugi e dai trucchi che hanno corrotto perfino le estrazioni del Lotto, fa raccogliere dall'Operazione Arcobaleno un centinaio di miliardi in poco più di un mese.

La Sicilia, la Calabria e la Puglia hanno tanti problemi, ma considerano un elementare dovere «dare una mano» a profughi inseguiti dalle bombe, dai rastrellamenti e dagli incendi. Poi c'è al mondo chi di mani ne taglia una a un ladro, che se dovesse diventare una moda nostrana, potremmo diventare uno dei popoli che hanno il maggior numero di mutilati.

In Puglia sono sbarcati decine di migliaia di «clandestini» e non c'è niente di più palese di questa migrazione biblica.

Ci sono immagini che diventano rappresentazioni di una realtà: ho in mente una bambina iugoslava che, sorridente, spettina per gioco i capelli del nostro ufficiale che la tiene in braccio.

A Bertinoro resistono gli anelli ai quali i passeggeri legavano i loro cavalli, mentre i paesani li invitavano a bere un bicchiere di Albana; potrebbero metterne uno anche sulla facciata del municipio di Comiso, o di molti altri luoghi di questa sgangherata ma generosa Repubblica.

A qualcuno che, memore di certe retoriche, ci proclama eredi di Roma o, secondo Bossi, addirittura dei celti, i cui spostamenti restano vaghi, mentre nessuno può giurare, con tutte le invasioni, sulle virtù delle nostre nonne, a chi, dicevo, andando in giro mi domandava quale fosse la dote più apprezzabile dei miei compatrioti, io ho sempre detto: «L'umanità».

Quando c'è bisogno, vedi di recente il Kosovo, dove gli altri vanno noi accorriamo. Non abbiamo ancora sistemato gli umbri terremotati, ma la bambina di Pristina avrà una tenda, una minestra, una carezza e, forse, anche una bambola.

A proposito di cibo: abbiamo sicuramente dei meriti. È Marco Polo che quando rimpatria dall'Oriente porta con sé il segreto dei vermicelli, dei maccheroni e degli scampi fritti. È il condottiero romano Lucullo che stabilisce le regole del banchetto. Quando Caterina de' Medici va in Francia per sposare colui che sarebbe diventato Enrico II, disgustata da quello che le servivano, si fa raggiungere dal suo cuoco personale che getta le basi dell'esaltata cucina francese.

Ogni regione ha le sue specialità: tagliatelle alla bolognese, saltimbocca alla romana, costata alla fiorentina, fegato alla veneziana, pesto alla ligure, risotto alla milanese.

Siamo diversi anche perché sulle nostre strade hanno marciato, o passeggiato, greci, arabi, normanni, celti, spagnoli, teutoni: sentivano il fascino di queste contrade e si mettevano in moto.

Shakespeare, senza esserci mai stato, vi ambientò con simpatia tredici drammi. Goethe, l'abbiamo già ricordato, diceva: «Cerchiamo l'Italia». Byron entrò trionfalmente a Pisa con cinque carrozze, sette domestici e nove cavalli.

Già: il grande richiamo della «gioia di vivere». L'idea non l'ha diffusa Federico Fellini: è precedente. Saremmo, per natura, portati alla felicità: io ho qualche dubbio. Penso ai nostri due maggiori poeti, Dante e Leopardi, uno così acido e l'altro con i problemi che gli si presentavano con il sarto e le donzelle, non hanno assolutamente inneggiato alla letizia, e neppure il quadretto folcloristico dello scugnizzo scalzo e stracciato, che mangia pane e pomodoro, mi convince. C'è un colore della miseria che non mi pare suggestivo. Ma nessuno riesce a sfuggire all'immagine consacrata dal tempo, dal luogo comune e da qualche verità.

Chi è, insomma, questo italiano? Un individuo alto circa 1,70, che a sessant'anni va in pensione e dopo una decina, in media, chiude.

È cattolico, anche se in parrocchia lo vedono soltanto in alcune fondamentali circostanze: battesimo, cresima e comunione, matrimonio, funerale. Se vuole confessarsi, c'è anche Maria De Filippi.

Cade nella tentazione, ma è sempre pronto a dolersi. Confida il Tommaseo, modello di edificazione, al suo diario: «Mi pento, prego. Ieri ho peccato due volte. Con due».

Sa che tutta la sua vita sarà condizionata da alcune sigle: Inam, Inps, Enpas, Inadel, Eni, Enal, Enel, Rai. Tre polizie vigilano su di lui: Carabinieri, Guardia di Finanza, Pubblica Sicurezza. Vorrebbe contare di più: in genere, però, si limita al lamento e a lettere ai direttori di giornale.

Moravia ha scritto: «È un popolo che ha due straordinarie qualità: la gentilezza e la mancanza di retorica». Ma c'era perfino chi esponeva un cartello come ammonimento: «Qui nessuno è fesso». Il «dritto» gode ammirazione e far fesso il prossimo è considerato un gran merito. Come adeguarsi. «Gli italiani» ha detto Bruno Barilli «accorrono sempre in soccorso del vincitore.»

Esempio storico: Guicciardini, per difendere il suo «particulare», resta al servizio dei papi che odia. Giovanni dalle Bande Nere passa senza problemi dalle forze pontificie ai francesi. Si usa. È intrepido, ma di notte ha paura degli spiriti e delle streghe, e non dorme da solo. L'Aretino prende soldi ed esalta il cliente. «Il denaro» si giustifica «è il fiato per le trombe della virtù.» Ha ancora oggi degli imitatori.

Non siamo neppure tanto ardimentosi. È assodato che Mazzini non riuscì mai a raccogliere attorno a sé più di duecento seguaci; Garibaldi, al massimo dello splendore, mille.

L'eroismo è quasi sempre un fatto individuale: la miccia di Pietro Micca, il sasso di Balilla, la stampella di Enrico Toti, i barchini degli incursori di Alessandria d'Egitto.

L'italiano nasce con nel DNA la tendenza all'intercessione; anche quando ha bisogno di ottenere una grazia da Gesù si rivolge alla Madre (a lei non dirà di no) e ai santi. La raccomandazione non è un fenomeno, è una pratica necessaria. L'esule Dante si presentava alle varie corti con missive commendatizie; del resto, senza la protezione di qualche principe o di qualche cardinale, non godremmo la vista di certi affreschi o la lettura di certi poemi. Quei potenti, però, avevano il buon gusto di lasciar perdere i cretini.

Alessandro Manzoni, nel 1866, chiese se poteva evitare il trasferimento da Milano a Torino del proprio genero, ma il ministro dei Lavori pubblici, per motivi di regolamento, gli rispose di no.

Raccontava Eugenio Montale una sua esperienza di combattente: la fucilazione di un soldato che aveva rubato un orologio e gridava al plotone di esecuzione: «Non fucilatemi; sono figlio di un professore di geografia».

Quando l'unità d'Italia fu raggiunta, si legge in un saggio di Domenico Bartoli, per meriti patriottici vennero assunti dallo Stato, dato l'imperversare di richieste e di petizioni, «fanciulli e perfino nascituri».

L'italiano è convinto che, senza qualcuno che appoggia e caldeggia, non si ottiene nulla. Bisogna «essere conosciuto» anche per riscuotere un vaglia di diecimila lire.

Il personaggio. Nato nel 1932 ad Alessandria, saggista e narratore, Umberto Eco è considerato il maggior esperto italiano di semiologia. Si laurea in filosofia nel 1954, presso l'Università degli Studi di Torino, con una tesi su *Il problema estetico di Tommaso d'Aquino.* Cofondatore, nel 1961, della rivista *Marcatré* e, nel 1967, della rivista *Quindici.* Entra nel Gruppo '63, movimento d'avanguardia italiano, che aveva come intento una riformulazione dei criteri espressivi del romanzo.

Dal 1971 è professore ordinario di semiotica presso l'Università degli Studi di Bologna. Ha anche tenuto diversi cicli di lezioni nelle università statunitensi e al Collège de France. Non ha mai rinunciato a insegnare per tre motivi: «Primo: tutti gli uomini hanno la tendenza a esprimersi. Alcuni lo possono fare, ad esempio, gli scrittori. Altri vorrebbero farlo, e stanno per ore e ore a parlare con gli amici. L'insegnamento è una forma fondamentale di autoespressione. Secondo: è una forma di autoespressione sociale. Cioè quando scrivi un libro non hai il controllo su quello che gli altri capiranno. L'insegnamento è il controllo, giorno per giorno, di quello che tu stai dicendo. Senti la reazione degli altri. Terzo: è un modo per rimanere giovane. Trovo tristissima la vita di tante persone che sono obbligate, per il mestiere che fanno, a vivere soltanto con gente della loro età. Confrontarsi con i giovano è una sfida continua. È un'assicurazione contro l'Alzheimer».

Dopo aver pubblicato saggi sull'arte contemporanea e sulla comunicazione di massa, come *Opera aperta* (1962) e *Il superuomo di massa* (1976) e opere di semiotica come *La struttura assente* (1968) e *Trattato di semiotica generale* (1975) nel 1980 esordisce nella narrativa con *Il nome della rosa* (tradotto in 32 lingue, oltre 15 milioni di copie vendute nel mondo e Premio Strega 1981), seguito da *Il pendolo di Foucault* (1988, 8 milioni di copie) e successivamente, nel 1994, da *L'isola del giorno prima.* Nel 1997 pubblica *Kant e l'ornitorinco* e nel 2000 *La Bustina di Minerva.*

Fonda a Bologna, e presiede, la Scuola Superiore di Studi umanistici.

Settembre 2000: durante un incontro con la stampa, in cui annuncia l'uscita di un nuovo libro, raccomanda ai giornalisti: «Queste domande sono vietate: "È vero che nell'èra del computer il libro muore?" e "Le è piaciuto il film tratto da *Il nome della rosa?*"».

È presidente onorario del Centro internazionale di semiotica e studi cognitivi presso l'Università della Repubblica di San Marino, fa parte del Consiglio per le relazioni italo-americane e del Comitato tecnico dell'Istituto per lo studio dell'innovazione nei mass media.

Nel 1993 gli viene conferita la *Légion d'honneur*. Commenta: «Come fai a rifiutare qualcosa che prima di te è stata accettata da Jean Gabin?».

Riceve lauree *honoris causa* dall'Università di Odense (Danimarca) nel 1986; dalla Loyola University di Chicago (1987); dalla Sorbona (1989); dall'Università del Kent (1992); dall'Università di Atene (1995); dall'Accademia di Belle Arti di Varsavia (1996).

Dal 1993 è membro della Académie Universelle des Cultures.

Ha detto:

• Su Internet:

«Il computer e Internet sono la vera rivoluzione del secolo, che può modificare, come a suo tempo la stampa, il nostro modo di pensare e di apprendere. Prima che esistesse la stampa, un bambino non poteva avere accesso a un manoscritto. Oggi, grazie a Internet, possiamo sapere cose che i nostri antenati impiegavano una vita a conoscere.

«Internet è un equivalente virtuale dell'universo. Come nell'universo, dove ci sono foreste e città, gli Stati Uniti e il Burkina Faso, su Internet si trova di tutto: i siti nazisti, quelli che vogliono vendervi qualsiasi cosa, il porno, ma anche gli atti dei primi concili dei Padri della Chiesa, un tempo consultati solo da pochissimi dotti nelle biblioteche specializzate.»

• Sugli intellettuali italiani:

«Sono antitaliani. Lo erano anche Dante, anche Machiavelli, anche Petrarca. Ma questa non è una specificità italiana. È, in Europa, una specificità italiana e tedesca. Perché si tratta di due Paesi che hanno avuto un'unificazione nazionale molto tarda, solo nella metà del secolo scorso. Così, mentre altrove l'intellettuale si sentiva in obbligo di difendere l'integrità dello Stato, in Italia e in Germania si è continuato a lungo, e ancora si continua, nelle lotte individuali, nella disgregazione».

• Sulla stampa italiana:

«Ormai è la televisione che fa l'avvenimento. La stampa scritta la commenta. Si accoda. È il dramma dei giornali: i quotidiani si trasformano in settimanali, i settimanali in mensili. I quotidiani sono troppo densi, hanno troppe pagine e devono riempirle a qualunque prezzo. Per questo si lasciano abbindolare da quello che fa la televisione».

• Sulla televisione:

«Ma che succedeva fino a un secolo fa? Praticamente le masse non avevano accesso al mondo. Ora, grazie alla televisione, ce l'hanno. È un progresso. In fondo, la televisione abbrutisce le persone colte e accultura quelle abbrutite dalla vita».

• Sugli italiani e le altre culture:

«Imparare a interagire con nuove culture in Italia sarà un problema specifico della cultura italiana, a cui bisogna prepararsi con un'educazione diversa. Abbiamo ancora una scuola dove si insegna tutto su Giove e Minerva, poco o nulla sulla Bibbia e niente sul Corano. I nostri ragazzi e i nostri adulti credono che Maometto sia il Dio dei musulmani e Buddha quello dei buddhisti. È come se un orientale credesse che il nostro Dio si chiama san Paolo».

• Sull'Europa:

«Quando mi trovo in Europa, non mi rendo conto che esiste una cultura europea. Ma come atterro a New York, o in altre città degli Stati Uniti, immediatamente mi accorgo che sono europeo, che c'è qualcosa che distingue uno svedese e un tedesco da un americano. Di base si tratta di una differente percezione del passato. Se parlo con uno svedese sento di avere con lui cose in comune che non ho con gli americani. Abbiamo in comune una storia, un modo di pensare. È di qui che si parte parlando di Europa».

• Sulla Padania:

«La Padania è un caso a sé. È un'invenzione politica, senza radici etniche, senza storia comune, senza una lingua comune. È un'invenzione folle e assurda per una classe media che non vuole pagare le tasse».

L'incontro. – Che cosa vuol dire per lei essere piemontese?

«Si è sempre più legati alle proprie origini: io mi sento più piemontese adesso che non a venti o a quarant'anni. Come per tutte le appartenenze, si scoprono man mano che si invecchia. Vorrei esprimere questa sensazione in una espressione alla quale ho dedicato alcune pagine: "O basta là".

«Il piemontese dice "O basta là" di fronte a qualsiasi affermazione un po' troppo forte: può essere l'intera teoria di Hegel, l'esposizione di un sistema religioso, il progetto della pace nel mondo, una dichiarazione d'amore troppo forsennata.

«"O basta là" è anche un modo di stupirsi educatamente per qualcosa di sproporzionato che ci viene messo di fronte, di colpo, e ritirarsi in un educato scetticismo.

«L'altra espressione che trovo molto piemontese, e sempre di fronte a dichiarazioni che possono andare da un discorso di Mussolini al *Manifesto* di Marx ed Engels, alla celebrazione della New Age, è "Lei dice?", che è un modo di lasciare all'altro la responsabilità di manifestare, più che un educato dissenso, una decisa volontà di non essere interessato a quello che l'interlocutore sta raccontando.»

– Perché i piemontesi che scrivono si affermano, di solito, a Milano e non a Torino?

«Oserei dire per le ragioni che ho appena esposto e lei è autorizzato a dirmi: "Lei dice?".

«Cioè proprio questa specie di pudore, questo sospettare di tutto ciò che è esagerato e fuori di misura fa sì che il piemontesismo sia anche capace di ammazzare le grandi imprese, per cui a un certo punto quando qualcuno vuole realizzare qualcosa, e bisogna andare al di là della misura, va a farlo altrove.

«Non dimentichiamo che a Torino sono nati tutti i più grandi movimenti dell'Italia contemporanea: è nato il Partito liberale, è nato il Partito comunista, è nata la radio, è nata l'editoria, è nato il Sessantotto: tutto è nato a Torino e poi è stato esportato fuori. Meno la Fiat.

«Questo è un dato di fatto, non si può discutere che questo è avvenuto, e cerco di attribuirlo al sano scetticismo piemontese che però, talvolta, può avere funzione narcotica.»

– Degli scrittori del nostro tempo chi ha raccontato meglio caratteri, vita e aspetti del Piemonte?

«Anche qui ciascuno è legato alle proprie origini, alle proprie prime scoperte, allora vorrei rispondere: Pavese, perché è stato quello che ho letto nell'adolescenza, nella giovinezza; poi Fenoglio, ma forse bisogna andare anche un po' indietro: De Amicis.

«Anche il mondo di *Cuore* può funzionare solo a Torino; allora bisognerebbe riscoprirne altri dell'Ottocento.

«Io, ad esempio, sono affezionato a un piemontese che pochissimi leggono e che è il Dumas italiano: Luigi Gramegna. Ha raccontato un Piemonte savoiardo con i *Dragoni azzurri*, il Piemonte di Pietro Micca. È narrato molto bene, ma come vede sono pochi i devoti che si radunano intorno alla libreria Viglondo, all'*Almanacco piemontese*, che conoscono ancora Luigi Gramegna.»

– Cosa ha rappresentato la Einaudi nella cultura italiana?

«Assieme alla Fiat è una delle cose che sono nate a Torino e non ne sono mai uscite: questo è segno di qualcosa di robusto. È stata una casa editrice che ha avuto un impegno culturale e ideologico di alto livello e ha tenuto duro.

«Circola sull'Einaudi, oserei dire, un equivoco: che è stata una casa editrice di sinistra. O si intende di sinistra nel senso di sentimenti democratici altrimenti lo stretto legame tra la Einaudi e una certa sinistra ufficiale partitica era già finito alla fine degli anni Sessanta. Perché una casa editrice di sinistra che pubblica Lévi-Strauss o Lacan...

«Quindi questo equivoco delle tante polemiche dell'Einaudi come casa editrice legata a un partito, ne riduce anche la varietà culturale.»

– Perché Milano resta capitale dell'editoria?

«Anche se appunto a Torino, nell'Ottocento, c'era Pomba, che poi è ancora l'Utet, che non è una casa editrice da poco, credo sia dovuto proprio alle dimensioni industriali della città. È ovvio, in quanto Milano è capitale industriale e commerciale d'Italia, che tutte le industrie, ivi compresa l'editoriale, abbiano più possibilità di crescita che altrove.

«Non dimentichiamo la posizione di Milano, una città dalla quale si raggiunge tutta l'Europa in un'ora. È capitale dell'editoria nel senso in cui lo è del giornalismo e di tante altre cose.»

– Lei, credo, è l'unico autore italiano da esportazione, penso con Guareschi ieri e con Moravia...

«Calvino, per esempio, è un autore italiano molto esporta-to. Noi, certe volte, abbiamo sensi provinciali; i nostri autori viaggiano, sono tradotti, sono letti. I polacchi non si pongo-no proprio problemi del genere, poi la Szymborska vince il Nobel e sono tutti contenti, non dicono: "A noi non fa atten-zione nessuno".»

– Lei va anche a insegnare nelle università straniere. Che studenti trova in giro e che cosa sanno di noi, come ci giudi-cano?

«Mi permetta una critica alla domanda. È un po' come di-re: "Cosa pensa lei degli esseri umani?".»

– Si presta certo a molte interpretazioni.

«No, dipende di che Paese sono gli studenti, che tipo di studi stanno seguendo. Si trovano studenti interessantissimi. Lei va in Sudamerica: non solo sanno l'ultima cosa che è sta-ta pubblicata in Italia, ma anche l'ultimo pettegolezzo che è stato fatto nei corridoi di un dipartimento; certe volte, in una città come Buenos Aires, si è stupiti della conoscenza che hanno delle cose italiane.

«Va al dipartimento di filosofia di una città del Mid-West statunitense e non sanno neanche dove sia l'Italia, ma non sanno nemmeno dov'è la Francia. Ho fatto l'esempio del Mid-West perché, una volta un tale, non mi ricordo chi fosse, quando si parlava ancora molto con i centralini, chiede di es-sere connesso con Rome, Roma, e la centralinista dice: "Co-sa? Rome, Massachusetts?".

«"No," dice, "Italy."

«"Ah," commenta "ce ne è una anche in Italia."

«Il mondo è fatto anche così.»

APPENDICE

SPAGNA

SULLE TRACCE DI FEDERICO GARCÍA LORCA

Qualcuno sospira: «Il prestigio della Spagna, ormai, è affidato alle squadre di calcio. O ai tori». Rimpiangono tempi lontani. C'era Manuel de Falla, che durante la guerra civile affrontava i violenti spiegando: «Sono un artista, sono un cristiano»; c'era il vecchio Miguel de Unamuno che, dalla cattedra universitaria, esortava alla ragione e ammoniva gli esaltati che gridavano *Viva la muerte*: «Voi vincerete perché avete la forza bruta, ma non convincerete»; c'era l'ancor giovane Pablo Picasso che disegnava vignette intitolate «I sogni e le menzogne del generale Franco», e poi dipinse *Guernica*, l'inizio dei grandi massacri.

C'era, in Andalusia, un poeta che si chiamava Federico García Lorca, che confidava a una bella ragazza di nome Esperanita i suoi timori, la sua incapacità di combattere: «Non mi sono mai interessato di politica, sono troppo pauroso. Per prendere un atteggiamento, è necessario un coraggio che mi manca». Una volta disse alla madre: «Io sono del partito dei poveri».

Ho cercato *doña* Isabel, la sorella, ma è in viaggio per la Francia. Ho parlato, per una lunga sera, con José Maria Cossio, membro della Real Academia de la Lengua, maestro di tauromachia, fedele compagno di Federico.

«Veniva» raccontava «tante volte nella mia casa sui monti, ero anch'io tra quelli che fondarono *La barraca*, conservo molte cose di lui. Non era, come la gente immagina, triste e rassegnato, la sua allegria appariva persino smodata, inventava stornelli popolari, suonava il pianoforte, gli piacevano le arene e le osterie, i *banderilleros*, le cantanti di flamenco, i gitani, si considerava fuori dalla mischia.

«Otto giorni prima che gli sparassero, prese parte a un comizio della sinistra, promosso da Rafael Alberti. "A me, di quese faccende," spiegava "non importa niente, ma come faccio a dir di no a un amico?".

«Amava le avventure spensierate, la nostra terra, non avrebbe mai potuto andar via, era legato alle cose e ai paesaggi. No, non c'era in Federico solitudine o stanchezza: "Io vivo" confessava "nell'angoscia dell'aldilà". Chi l'ha soppresso non sapeva che uccideva un genio.»

Per anni e anni il silenzio e il mistero hanno soffocato l'ultima vicenda del drammaturgo di *Yerma*. Adesso, si sa che non fu portato via dalla Guardia, o dai nazionalisti, o dai repubblicani, le menzogne e le accuse della propaganda sono cadute, il nome di chi volle la fine di García Lorca è stato scritto, figura nell'elenco telefonico di Madrid, il suo volto e il suo aspetto sono conosciuti. «Piccolo, un viso tondo e sensuale», era un seguace dell'avvocato Gil Robles, che andò a far visita a Hitler per trarne qualche insegnamento e che pensava alla Spagna come a uno Stato corporativo, come all'Austria di Dollfuss. Robles si faceva chiamare *Jefe*, capo, in un'Europa che aveva già un Duce e un Führer.

Ruiz Alonso, ex tipografo, ex deputato della Ceda, *Confederación española de derechas autonomas*, il più forte gruppo di destra, cattolico, conservatore e clericale, è vivo e va in giro indisturbato, ha dei figli e una buona posizione, dà ai giornalisti appuntamenti che non mantiene, e per tre volte Marcelle Auclair, che ha ricostruito l'infanzia e la morte di Lorca, ha cercato invano di parlargli, nell'onesto intento di accogliere anche la sua difesa, o la sua versione.

Non si sa dove Federico sia sepolto, non si sa con certezza se la notte, quella notte dell'estate 1936, in agosto, fu proprio quella che andava dal tramonto del 18 all'alba del 19, perché ancora adesso molti tacciono, qualcuno ha preferito dimenticare. Perché, in fondo, García Lorca non appartiene a nessuno, è una vittima di quelle crudeltà che travolsero operai e vescovi, scrittori e contadini, soldati e miliziani. Tra un milione di fosse c'è anche la sua.

Il poeta Lorca si era rifugiato in un palazzotto di Granada, da ospiti che appartenevano alla Falange, per sfuggire alle minacce, per sentirsi protetto. Aveva respinto l'idea della fuga, nessuno pensava davvero che qualcuno potesse fargli del male. Non dispiaceva ai «rossi», non c'era nel suo contegno nulla che potesse provocare i seguaci del Caudillo. I virtuosi, o i moralisti, potevano condannare certi aspetti del suo costume, ma vi sono miserie che appartengono alla condizione umana, e che non hanno niente che vedere con le esigenze dell'arte o con i problemi del governo.

Il destino di Lorca è legato alla vendetta di Ruiz Alonso, che tenta, durante un colloquio con un camerata, di dare una spiegazione del suo delitto: «Ha fatto più danno con i suoi libri che gli altri con le rivoltelle».

È morto il governatore della città, il generale Valdés, che firmò la condanna, ed è sparita, fra i relitti in demolizione, la Ford modello T che portò Lorca nell'ultimo viaggio; molti testimoni di quelle giornate sono scomparsi, o sono andati in esilio, ma si sa che Federico partì dalla casa dove si era nascosto con sgomento, volle fermarsi a pregare davanti a una immagine della Madonna, passò tre giorni in carcere, e una serva gli portava il cibo, ma una mattina le dissero che era inutile, tutto finito, e nella cella trovò soltanto un pigiama e un termos pieno di latte; si sa che due uomini gli sedevano accanto, quel mattino, mentre l'auto correva sulla strada polverosa, verso Víznar, e cantavano già i galli, l'aria odorava di menta e di aranci, andavano verso un *barraco*, la terra appariva argillosa, coperta di giunchi e di erbe sottili, i due accompagnatori tacevano. Federico voleva un prete, ma gli risposero di no, e gli ordinarono anche di scavare la fossa, il cimitero di Granada era stato ingrandito per le tante esecuzioni, ma molti finivano sepolti sulle colline.

Lorca teneva sulle spalle una coperta, perché faceva freddo, aveva davanti agli occhi gli ulivi e le montagne e «i due fiumi di Granada, l'uno di lacrime, l'altro di sangue». E nel cuore l'angoscia di chi sente l'inutilità della vita: «Non ti conosce il bimbo né la sera / perché sei morto per sempre».

Sparì, come tanti altri, e riprese a vivere quindici anni dopo, quando le sue opere furono pubblicate in Spagna, e i ragazzi cominciarono a recitare i versi del *Lamento*. Così, alle cinque della sera, tutto il mondo pensa a un poeta che stava una volta in Andalusia.

INDICE DEI NOMI

Castro, Fidel 103, 111, 117-18, 128
Cavour, Camillo Benso, conte di 170
Čechov, Anton Pavlovič 61, 127
Céline, Louis Ferdinand 151
Chagall, Marc 144
Chamberlain, Arthur Neville 36
Chateaubriand, François René, de 151, 173
Chatwin, Bruce 105, 107-108
Chevalier, Maurice 86
Chruščëv, Nikita Sergeevič 33
Churchill, Winston 35-36, 138
Claudel, Paul 151
Clausewitz, Karl von 28
Clemenceau, Georges 154
Clinton, Bill 138
Colbert, Jean-Baptiste 154
Coloane, Francisco 103, 106-107
Cooper, Gary 127
Cooper, James Fenimore 173
Corneille, Pierre 151
Cornwell, David v. Le Carré, John
Cossio, José Maria 187
Crichton, Michael 123-39

D'Annunzio, Gabriele 125
De Amicis, Edmondo 101, 182
Deffand, Marie de Vichy-Chamrond, Madame du 153
De Filippi, Maria 176

Degas, Edgar 143
De Gaulle, Charles 147-48, 154-55
De' Medici, Caterina 175
Descartes, René 151
Dickens, Charles 78
Diderot, Denis 151
Dietrich, Marlene 83, 128-29
Döblin, Alfred 95
Dollfuss, Engelbert 188
Dominguín, Miguel 128
Dos Passos, John 144
Dostoevskij, Fëdor Michajlovič 61, 75, 78, 85
Doyle, Conan 78
Dumas, Alexandre 182
Duun, Olav 51
Dzeržinskij, Feliks Edmundovič 60

Eco, Umberto 167-83
Einstein, Albert 48
Eltsin, Boris 65, 74
Engels, Friedrich 86, 181
Enrico II di Francia 175
Erenburg, Il'ja Grigor'evič 59
Esenin, Sergej Aleksandrovič 59, 61
Esquivel, Pérez 101
Eva 159
Evtušenko, Evgenij Aleksandrovič 79

Falla, Manuel de 187
Fallada, Hans 83
Faulkner, William Culbert 38, 83, 125-26

INDICE GENERALE

Finito di stampare
nel mese di novembre 2000 presso il
Nuovo Istituto Italiano d'Arti Grafiche - Bergamo

Printed in Italy